U0104365

文史哲學集成

周行之著

魯迅與「左聯」

文史哲出版社印行

魯迅與「左聯」／周行之著 -- 初版 -- 臺北
市：文史哲，民80
2,193 面；21公分 --（文史哲學集成 239）
參考書目：面187-193
ISBN 957-547-059-1（平裝）

1.周樹人
2.中國文學 - 歷史 - 現代(1900-1936)
820.908 80002927

文史哲學集成 239

魯迅與「左聯」

著者：周行之
出版者：文史哲出版社
登記證字號：行政院新聞局局版臺業字〇七五五號
發行所：文史哲出版社
印刷者：文史哲出版社
台北市羅斯福路一段七十二巷四號
郵撥〇五一二八八一二彭正雄帳戶
電話：三五一一〇二八

實價新台幣二八〇元

中華民國八十年八月初版

序

這書的寫作，出於一個心懷已久的小小疑問。疑問雖小，卻經過長久的歲月，纔似抽絲剝繭，一層層得到一些解答。

在大陸讀高小的時候，正逢抗戰，很偶然地讀到魯迅的《吶喊》，雖不能領略深層的寓意，但覺得有一勁震撼的力量。隨著歲月的增長，由小學而升中學，《彷徨》等集，也都讀過。由於既沒有所謂的升學壓力，也缺乏所謂的休閒設施，於是今稱二三十年代的名作，大抵都曾寓目。

在大後方，私語中聽到有革命的「聖地」延安，也聽到某同學暗中去了。似乎能吸引這些人的，並不是甚麼馬列論著，而是魯迅的作品——先小說，後雜感。青年人的邏輯很簡單：他是可敬可愛的作家，他稱讚的一定好，他譏刺的一定不好，再加上身邊的「革命」或「先進」人士的鼓勵和指導，就放下一切投入那行列。

來到臺灣，發現那些作家都沒有來，書也禁絕。於是心中有個疑問，爲甚麼？青年人的答案也很單純：那些人不肯來，至少是原因之一。

要等到丁玲等遭到批鬥，心中的疑問一部份解除，另一部分興起——她們爲甚麼被鬥？再要等到所謂「十年浩劫」——亦即「無產階級文化大革命」出現，大陸作家幾乎一網打盡，甚至連人稱「文化總管」的周揚也不得倖免，心中的疑團大部消除，只剩下一個核心——魯迅當年爲甚麼會去做「左聯」領導？

這疑問的解答似乎更不容易。由於偶然的機會，看到若干有關這重公案的書刊，纔發現它不是僅憑幾部文學史就能明白的。到現在，「左聯」已是六十年前的事物。當年置身其中的人物，幾乎全都在歷劫之餘，離開人世，要等他們揭露更多眞相已不可能。因此就手邊所有的資料，作此嘗試。筆者淺陋，自知所作殊欠剪裁，但若有一二能供讀者批評之處，似亦不爲無的放矢。

民國八十年七月自識

附筆：書中所載年號，或以民國紀年爲先附以西元，或則反是，乃各依其所奉正朔爲主，並此說明。

魯迅與「左聯」目次

第一章　緒言

在中共的「革命文學」運動中，「左翼作家聯盟」可以說是一個「樣板」。它既是中共的黨團單位，又是對外的「群眾組織」或「聯合戰線」。它的任務就是文藝的「統一」。

「左聯」對外的領導人，是名作家魯迅。一般多說他只是名義上的領導者，那也正確，因爲不是中共黨員，他無意——也不能——干預黨務。但更確切些說，「左聯」因其性質特殊，它的領導實際是一個「雙頭馬車」，一旦步調不齊，方向不一，它就將分裂。

由於魯迅的參加，使這組織在文壇上具有相當的聲勢，不像早先類似結構的無疾而終。他之參加這組織，不管外界人士感到偶然或必然，當事者雙方都是事先經過研判的。對中共，成果是肯定的。雖然「左聯」中的共黨幹部經常被他奚落。對魯迅，他雖然常覺「工頭」用鞭子打他，身後卻享有文藝上萬世師表的榮譽。

由於「左聯」是中共「地下黨」的機構，爲了隱密，當時不曾留下完整文獻，事後的個人回憶亦多保留。因此流傳的資料頗欠詳實，甚至人名與化名（筆名），作品與作者，乃至事件的始末，每多訛傳。並且即令是中共黨員，除了組織生活與工作上必須知道的事情，決不與聞其他的機密。這情形造成外界——以及中共內部——研究上的困難。以致過去的若干作品易受誤導。

在魯迅這方面，他對生平作品，包括日記與部分信函，生前多已編印出版。一些他不願收入或失收的，也被別人代爲收存付梓，因此可謂相當完備。

基於能力和資料的限制，筆者將以他與「左聯」的分合爲重點，盡量使用第一手資料——如魯迅全集，以及直接參與人士的最新回憶等。無可否認，這些資料也未必全屬眞實。較新的回憶或許較少政治上的顧慮，但年深月久，自不若較早的準確。但在今日，「左聯」中的青壯年人士，或已久別紅塵，或已壽登耆耄。能說的，大致說了；不能說的，只能隨時光永遠消逝。

關於中共的發展史，尤其是國共合作的關係，史籍甚多，不待冗贅。至於共產運動在中國的業績如何，有現實在，毋待多言。但對若干具有關聯性的主要事件，不能不撮要簡述，藉以說明主題的背景。

第一節 《新青年》：文化分裂的象徵

新文化和新文學的醞釀，原非發生於一夕之間，但特別標舉這些口號的，可推中國共產黨創建人陳獨秀。

曾經參加過興中會等革命組織的陳氏，（註一）於民國四年（一九一五）九月十五日，在上海出版了《青年月刊》第一卷第一號，以「敬告青年」一文，提出「自由、進步、實利、科學」等「六義」以爲共勉；並以「法蘭西人與近世文明」一文，說明法國爲西洋文明的先導，亟應效法，而中國（及印度）代表的東方文明，不脫「古代文明的窠臼，應該拋棄。」（註二）該刊第一卷三、四號，連載了他的「歐洲現代文藝史譚」，簡介歐洲文藝思潮及代表人物，認爲莎士比亞、歌德，皆以蓋世文豪而爲大思想家。（註三）這表示他將文學與思想視同一體。民國五年九月，該月刊改名爲《新青年》。它成爲里程碑式的文獻。

《新青年》二卷五號，發表了胡適的「文學改良芻議」，陳氏附以案語說：「竊喜吾道不孤」。（註四）隨即在下一期發表了自己的「文學革命論」。（註五）從此「文學革命」成爲響亮的口號，也成爲「文化革命」的先導。在性質上，無論文學與文化，都是力主「西化」的。

民國六年（一九一七）俄國發生了「二月革命」，沙皇專制崩潰，出現了克命斯基爲首的民主政權。陳獨秀即在《新青年》三卷二號（同年四月）上發表「俄羅斯革命與我國民之覺悟」，樂觀地表示：「新俄羅斯非君主非侵略之精神將蔓延於德奧及一切師事德意志之無道國家，宇內情勢，因以大變。」（註六）

同年，俄國又發生了列寧等「布爾什維克」分子推翻克命斯基民主政府的「十月革命」。李大釗旋在《新青年》五卷五號（民國七年十一月）發表「庶民的勝利」和「Bolshevism的勝利」，頌揚列寧等的功績。（註七）這顯示他們在一意西化的當中發現了另一道曙光——俄化，亦即日後稱爲「馬列主義」的共產革命。

民國八年，國內爆發了「五四」愛國運動。在國內外情勢的劇變下，人心奮激；然而北洋軍閥政府的作爲，並不因袁世凱的去世而有所改善。於是陳獨秀撰寫了「新文化運動是什麼」，發表於《新青年》七卷五號，憤慨的表示：「西洋文化我們固然不能滿意，但是東方文化我們更是領教了，我們但有一毫一絲羞惡之心，也不致以此自誇。」（註八）

《新青年》七卷六號（民國九年五月）定名爲「勞動節紀念號」，其中有「對於俄羅斯勞農政府通告的輿論」一文，並附以該「通告」全文——它宣布蘇俄放棄一切在華特權和利益，包括一八九六年中俄密約以來，沙俄取自中國的一切。這個慷慨的承諾日後不曾兌現，當時卻令人激賞。

這時，「共產國際東方部」書記維丁斯基（Voitinsky）已在上海與陳氏商議組黨。《新青年》從此實際變成「中共臨時中央」的機關刊物。在短暫的五年當中，它以快速伐的步伐，由否定中國固有文化，鼓吹西化，走向了共產黨革命的道路；由思潮的推動，走向實際的革命。因此它可以作爲文化分裂的一個象徵性代表。

從此，新文化和新文學大體分爲兩個壁壘，蘇俄式的共產主義與自由的。同時，革命也將分爲兩個陣容，「國民革命」和「共產革命」——雖然起初有一段短暫但必歸破裂的「國共合作」。

「左聯」這一支中共的「筆桿子」隊伍，是第一次國共合作破裂後的產物；而那次合作是民十二年年底國民黨改組，採取「聯俄容共」政策的結果。

第二節　第一次「國共合作」的破裂

中共新近（一九八八年）出版的《國共兩黨關係史》（以下簡稱《國共關係史》）說：「孫中山改組國民黨是從一九二二年九月開始到一九二三年底完成的。共產國際、蘇俄政府及中國共產黨積極幫助孫中山完成改組的任務。」（註九）這話是實在的，但幫助的目的何在，以及如何幫助，都值得檢討。

在國民黨容納中共黨員以個人身份入黨前，蘇俄及其所控制的「共產國際」（或「第三國際」），以及國共兩黨內部，彼此都曾有過錯綜複雜的接觸與爭議。本文限於篇幅，不擬多引。簡言之，中共是在俄共的指導下，纔瞭解「合作」的用意而達成共識。國民黨，依中共的說法，則「在于孫中山的聯共政策的巨大力量和孫中山本人的崇高威望。後者，則是起決定作用的。」（註一〇）這也是實在的；只是中共常用的「聯共」一詞，與國民黨所用的「容共」有一字之別。從早期文獻來看，並無「聯共」之說。如其有之，中共早可引作證據。

舉例而言，上述的《國共關係史》引用了一九二三年一月，由蘇俄政府正式代表越飛與孫中山發表的「孫越宣言」，藉以證明它是「聯俄」、「聯共」政策的「最後確立」。它引述宣言原文說：「

中國最急要之問題，乃在民國統一之成功，與完全國家的獨立之獲得。關於此項大事業，越飛君並確告孫博士，中國當得俄國國民最誠摯之同情，且可以俄國援助爲依賴也。」（註一一）這段引文是宣言中的第一條，內容正確無誤。可是引用者漏脫了上面的一些話，今爲補足於下：

「一、孫逸仙博士以爲共產組織，甚至蘇維埃制度，事實上均不能引用於中國，因中國並無使此項共產制度或蘇維埃制度可以成功之情況也。此項見解，越飛君完全同感。且以爲……。」（註一二）在「且以爲」之下，纔是「中國最急要之問題」等等。從原件全文來看，「聯俄」是建立國與國間的聯繫，「聯共」則全未提起。因爲「共產組織」和「蘇維埃制度」既不能引用於中國，豈能又和它聯合革命。中共著作人之所以略去此段，自有其必要理由。

《國共關係史》說：「從第一次國共合作正式建立到北伐前夕的兩年多時間內，共產黨組織也得到了一定的發展」。它指出，中共「一大」時，只有黨員五十多人，「二大」時還只有黨員二百餘人，「三大」時也只有四百多人。「第一次國共合作實現後，大部分共產黨員加入國民黨，並在工農群眾中進行組織和宣傳工作，從而擴大了中國共產黨的隊伍和影響。但到一九二五年一月黨的『四大』時，也只有黨員九百多人。……由於中共中央採取了一系列措施，到一九二五年底，共產黨員達一萬多人」；該文並說，過去發展之緩慢，乃由於「介紹本黨同志，務在極嚴」，後來雖由九百多增至萬餘，但「由於共產黨人集中力量去發展國民黨員，因而與國民黨比較，共產黨員發展的數量仍然是少的」。（註一三）

由此看來，中共加入國民黨後纔有快速成長。同時，它還爲國民黨發展了更多黨員。問題是，何以它把更多人才介紹到異黨而不收歸己用？是否那些人堅持要做國民黨員？此外事實顯示，某些人是特別指定去做國民黨員的；例如將來在「左聯」中引起爭端的胡風。

總之，一方面李大釗於民國十三年（一九二四）一月廿八日的國民黨第一次全國代表大會上，表示：「我們加入本（國民）黨，是幾經研究再四審慎而始加入的，……是想爲國民革命運動而有所貢獻於本黨的，不是爲個人的私利與夫團體的取巧而有所攘竊於本黨的。……本黨總理孫先生亦曾允許我們參加本黨而兼跨固有的黨籍，是光明正大的行爲，不是陰謀鬼祟的舉動。……我們既經參加了本黨，我們倘留在本黨一日，即當執行本黨的政綱，遵守本黨的章程及紀律；倘有不遵本黨政綱，不守本黨紀律者，理宜受本黨的懲戒」。（註一四）

另方面中共早在民國十二年（一九二三）年十一月召開的「三屆一次執行委員會」中決議，擴大國民黨組織的原則是：國民黨有組織的地方，同志們一幷加入；沒有的地方，同志們遵用國民黨中央黨部的黨綱章程及黨證，爲之創設，名稱則暫隨當地情形自定；至於「我們與國民黨之關係：⑴我們的同志在國民黨中爲一秘密組（織），一切政治的言論行動，須受本黨指揮；⑵我們須努力站在國民黨中心地位，但事實上不可能時，斷不宜强行之」。（註一五）

以上的策略，極爲成功。在孫總理逝世之前，他的「崇高威望」使這黨內有黨的局面不曾破裂。當孫總理於民國十四年（一九二五）三月十二日病逝北京後，國民黨人雖對中共戒心日增，中共的發展仍然順利。民國十五年（一九二六）七月九日，國民革命軍總司令蔣中正行就職禮，誓師北伐。中共領導人等，如陳獨秀，即曾撰「論國民政府之北伐」表示反對。（註一六）其後北伐順利進行，中共人士曾經努力參加，使本身發展愈速。就前引「努力站在國民黨中心地位」的原則而言，一九二七年三月在漢口舉行的國民黨二屆三中全會選舉中，「有共產黨員參加國民黨中央最高領導層，說明兩黨在組織上的合作關係達到了前所未有的高度」；至於某些省級黨部，共產黨員和「國民黨左派」也大佔優勢。（註一七）

民國十六年（一九三七年）四月廿七日至五月四日，中共在武漢召開「五全大會」。（其時南京業已發動清共，而汪精衞仍在武漢與中共合作。）中共史籍說：「陳獨秀在黨的『五大』的工作報告中說：『第四次代表大會起到現在我們黨隨著革命運動的發展而得到了發展……。在第四次代表大會以前，黨員只有九百九十四人，現在已增加到五萬七千九百六十七人。』在短短兩年多的時間內，共產黨員人數增加了近六十倍，這在中國共產黨的歷史上實屬罕見。在國際共產運動史上也是少有的。這同樣是國共兩黨在組織上密切合作的豐碩成果。」（註一八）

這充分說明了何以中共强調兩黨合作，何以把不合作視為反革命。

再就前引中共「在國民黨中為一秘密組（織）」黨員的「一切政治的言論行動，須受本黨指揮」而言，中共一直是用「國民革命」的旗幟進行「共產革命」，或是要將前者質變為後者。在上述的國民黨「二屆三中全會」中，還曾通過「統一革命勢力案」，決定兩黨聯席會議的立即召開。因而中共認為：「這種作法，實際上已把國共兩黨在國民黨內的合作，發展為黨與黨之間的合作，從而既提高了共產黨人在國民革命中的地位，也支持了主張與共產黨合作的國民黨左派的力量。」（註一九）這即是承認所謂「聯共」始於此時，而且只有國民黨「左派力量」與之合作。

民國十六年三、四月間發生了許多影響巨大的事件。擇要言之，三月廿五日國民革命軍克復南京，第二天發生「南京事件」，程潛所領革命軍第六軍（政治部主任為中共黨員林祖涵）部分軍人侵入外國領事館和教堂，殺害館員和教士，引起美、英、法軍艦炮擊南京，造成流血慘案。事後美、英、法、意、日等提出强硬通牒要求懲兇、賠償及道歉。該案延至民國十八年纔全部解決。國民黨調查發現，這是潛伏的中共分子企圖激起列强與革命軍直接衝突；中共則稱之為實行反共的藉口。

三月二十八日，國民黨中央監察委員吳敬恆、蔡元培等集會於上海，發起「護黨救國運動」；四月初，國民黨中央監察委員會舉行全體大會，通過決議，請各地軍事當局對謀叛的首要中共分子予以緊急處置。另方面，當時中共稱為國民黨左派的汪精衞與陳獨秀發表「汪陳宣言」表示互相合作。在北京，奉軍搜查蘇俄大使館，發現大量秘密文件——包括訓練中共黨員充當密探，以及支付中共中央軍事人員薪俸等資料。

四月十二日，南京「清共」，但汪精衞仍與中共領導人在武漢合作，形成「寧漢分裂」。但汪、陳合作並不久長。七月十三日，共產國際指示中共退出武漢國民政府，但不退出國民黨。十五日，汪精衞的武漢國民黨中央通過取締中共案，正式宣布「分共」，但採和平方式，保護中共黨員人身自由。因此，中共黨員朱德、葉挺，以及當時親共的賀龍，能將所領軍隊共約一萬八千人發起該年的「八一暴動」。

汪精衛由左轉右的導火線，《國共關係史》指出，係因羅易（M. N. Roy，共產國際代表）「把共產國際的《五月指示》泄露給汪精衛」；汪因而宣稱：「當初容納C・P同志加入本黨，不想結果竟如此！……現在不是容共的問題，乃是將國民黨變成共產黨的問題。……一黨之內不能主義與主義衝突，政策與政策衝突，更不能有兩個最高機關。」（註二〇）

談到第一次國共合作的破裂，中共的結論是：這「歷史罪責，完全應該由蔣介石、汪精衛等人承擔。」（註二一）從此，蔣氏成為中共史上的禍首罪魁。因為如果沒有他，不僅臺灣早已「解放」，中國大陸可能就在北伐之後統一於共產主義之下。

當朱德、葉挺、賀龍等發起「南昌暴動」時，仍然繼續使用「國民黨」的名義，成立了「國民黨革命委員會」。八月五日他們退出南昌，中共自稱「取得勝利」，並說：「從此以後，中國有了一支完全由中國共黨領導的人民軍隊」；同時解釋道：「中共中央在一九二七年九月以前仍沒有放棄國民黨這面旗幟。大革命之所以取得重大的勝利，是因為有了國民黨為組織形式的統一戰線。在進入土地革命時期以後，中共仍希望這種統一戰線的再現。蔣介石、汪精衛這些國民黨反動派背叛了革命以後，中共中央認為還需要重新建立這種統一戰線，要繼續舉起國民黨的旗幟，並建立一個『左派國民黨』。」（註二二）

同年八月七日，中共在共產國際代表羅明那直（Besso Lominadze）主持下，在九江召開「八七會議」，陳獨秀以「機會主義」罪名下臺，瞿秋白繼任總書記，執行日後被批判爲「盲動主義」的多次暴動。扼要言之，有當年九月八日的「兩湖秋收暴動」，失敗後，毛澤東到江西井岡山建立根據地；十一月十七日，澎湃等在廣東海陸豐組織「蘇維埃」；十二月十一日，張太雷等在廣州暴動，成立「廣州蘇維埃政府」。從此，中共的「武裝起義」此起彼落，發展成五次「圍剿」和「反圍剿」。直到民國二十五年（一九三六）中共經「二萬五千里長征」到陝西去「北上抗日」爲止。

同年十月，「西安事變爆發，震動中外。……蘇聯雖支持和平解決事變，卻說張（學良）、楊（虎城）的行動是爲日本帝國主義效勞，不支持西安事變。……中共中央在和平解決事變的總方針指導下，對於蔣介石個人的處置問題上則有個發展過程，即由『審蔣』到『保蔣安全』到『釋蔣』的變化。……十二月十五日，毛澤東、朱德、周恩來等十五名紅軍領導人在致國民黨和南京政府的電中也提出：『罷免蔣氏，交付國人審判。』但是，當周恩來於十六日到了西安了解各方面情況後，首先提出『保蔣安全』的方針。次日，即電中共中央：『爲緩和蔣系進兵，便我集中，分化南京內部，推廣全國運動，在策略上答應保蔣安全是可以的，但聲明如南京進兵挑起內戰，則蔣安全無望』」；於是中共提出五條件，主要是「停止一切內戰，一致抗日。」（註二三）

對這次造成「結束了十年內戰，完成第二次國共合作」的事件，中共讚揚道：「西安事變後中國革命的形勢一日千里，如黃河之水，自天而來，咆哮奔騰，不可遏制。張、楊兩將軍是中國民族的『

千古功臣』。千秋萬世，馨滿人間。……它在國共兩黨關係史上佔有極爲重要的一頁。」（註二四）

可以說，若無西安事變，張、楊的軍隊能夠服從政府命令參加圍勦，則中共的「革命」決不能一日千里。

本文之所以屢引《國共兩黨關係史》，第一因爲它是以往並「不多見」的專論兩黨關係的著作。它自稱是運用「歷史唯物主義」實事求是的原則，「秉筆直書，不虛美，不隱惡」，按照歷史的本來面目去寫歷史；第二因爲它的任務是「爭取實現包括臺灣在內的祖國統一」，希望海峽兩岸的黃炎子孫，「度盡劫波兄弟在，相逢一笑泯恩仇」；第三因爲它引用了若干以往視爲「國民黨反動派」、「叛徒」、「托匪」等「反面」資料，雖然所引者皆爲證明中共之正確。另一點則因爲該書的「基調」和內容，與以往中共書刊並無不符，亦即觀此可見其餘，不必重複引述類似作品。

回到本題，「左聯」於民國十九（一九三〇）年三月出現於上海，正處於兩次「國共合作」的斷層當中，它對「中國的革命形勢」確有一定的影響，而魯迅的加入並成爲領導人，更有功臣的作用。因此，《國共關係史》在歷數中共在文化「反圍勦」的各項勝利後——包括思想理論和文藝，它引用了王健民著《中國共產黨史稿》的結論：「此期左翼文學運動，其鬥爭力量及效果並不在當時『蘇區』武裝鬥爭之下。」並加按語說：它「從反面證明中共在文化戰線上也粉碎了國民黨的進攻。」（註二五）

該書更坦白簡述了「中共中央特科」與所屬「紅隊」的建立，以及「蘇區肅反」時「錯殺的革命者達數千人之多，甚至這個蘇區的創始人和重要領導人。」由於「肅反」原屬永遠不能公開的秘密，在對外書刊中作此陳述，頗不尋常。因爲「特科」即「特務」，而「紅隊」則以暗殺手段，內除可疑同志，外與「國特」鬥爭。另如「反對ＡＢ團」的濫殺同志，則是毛澤東所爲而諉過他人的公案。（註二六）

然而該書在論斷錯殺同志的原因時，卻說「雖然造成這種錯誤的主觀原因是某些領導人的『左』傾思想，但國民黨派特務打入蘇區，也是造成這個悲劇的一個重要客觀原因。」（註二七）

相對的，該書對中共之組織「特科」和「派黨員打入國民黨內及其軍隊內」去做「偵探和破壞工作」，則認爲理所當然。（註二八）如此說來，中共何以念念不忘，始終要與一無是處的國民黨合作？

誠然，國民黨人士確有中共深致感激的人。「左聯」領導人之一的周揚說過：「我們還不能忘記以宋慶齡、何香凝、蔡元培、楊杏佛等爲首的民權保障同盟、濟難會在那些黑暗日子爲營救被捕作家藝術家所作的努力。我們將永遠銘記他們勇敢的正義行爲。」（註二九）

「左聯」的「自行」解散，是遵照共產國際的指示，由王明（陳紹禹）從莫斯科以中共名義提出「八一宣言」，要求組織「全國人民聯合國防政府」。「左聯」因而放下「無產階級文學」等口號而改提「國防文學」。在「左聯」解散之時，中共的「長征」已達陝北瓦窰堡，但距離民國廿五年十二月十二日的「西安事變」還有一年時間。因此「左聯」在影響民心的文宣工作上，發揮了「筆桿子」的作用。

【附註】

註　一：一九〇二年，陳獨秀即在日本東京參加馮自由等創設的「青年會」，見《中華民國開國五十年文獻》第一編，第十一冊（臺北：中華民國開國文獻編纂委員會，民國五十二年初版）第三二二頁；陳氏參加「興中會」見同書第九冊，第三四三頁；陳氏參加「愛國協會」，見張玉法《清季的革命團體》臺北：中央研究院史語所，民國六十四年版，第二八四——八五頁。

註　二：《新青年》彙刊，第一冊，東京，大安株式會社一九六二年影印本，第廿七——三〇頁。

註　三：同註二，第一冊，第二二五——二六頁，三一九——二〇頁。

註　四：同註二，第二冊，第十七頁，《胡適文存》第一卷，臺北：遠東圖書公司，民國五十七年二版，第一〇頁。

註　五：同註二，第二冊，第四八七——九〇頁。

註　六：同註二，第三冊，第九九——一〇一頁。

註　七：同註二，第五冊，第四六九——七六頁。

註　八：同註二，第八冊，第六九七——七〇二頁。

註　九：王幼安、毛磊主編《國共兩黨關係史》，武漢出版社，一九八八年五月第一次印刷，第廿九頁。

註一〇：同註九，第五一頁。

註一一：同註九，第一六頁。

註一二：王健民《中國共產黨史稿》第一編，臺北：正中書局，民國五十四年十月出版，第九七頁。

註一三：《國共關係史》，第七二——七三頁。

註一四：同註一二，第一〇一——一〇二頁。

註一五：同註一三，第三七——三八頁。

註一六：《嚮導周報》第一六一期（一九二六年七月七日）。此爲中共機關刊物。

註一七：同註一三，第一七五——七七頁。

註一八：同註一三，第一八〇——八一頁。

註一九：同註一三，第一七八——七九頁。

註二〇：同註一三，第二〇五——二〇八頁。

註二一：同註一三，第二一八頁。

註二二：同註一三，第二一一——一二頁。

註二三：同註一三，第三七七——七九頁。

註二四：同註一三，第三八三——八四頁。

註二五：同註一三，第二三八——四四頁。

註二六：「中共在『無形』戰線上的鬥爭」，第二五五——五九頁。關於中共「特科」、「紅階」、「反對AB團富田事變」」等的原始資料，可參考郭華倫著《中共史論》（四冊）第二冊，第十七章，臺北：政大國際關係研究中心，民國七十二年增訂版。

註二七：同註一三，第二五八頁。

註二八：同註一三，第二五八——五九頁。

註二九：《左聯回憶錄》（上），中國社會科學出版社，一九八二年第一版，第一五頁。

第二章　「革命文學」

繼新生未久的「文學革命」之後，隨即有「革命文學」的出現。後者不是前者的必然產物，但卻可說是派生的支流。如前所言，在新文化的多方探索中，馬列思潮因蘇俄的「十月革命」而蔓延中國，於是而有共產革命，再而有鼓吹那革命的「革命文學」。

首就「文學革命」的文獻撮要而言，先有胡適的「文學改良芻議」；繼之，陳獨秀將「改良」改爲「革命」而提出他的「革命文學論」，然後再出現他的「新文化運動是什麼」。但依內容來看，陳氏在「革命文學論」中已經强調：「吾苟偷庸懦之國民，畏革命如蛇蠍。故政治界雖經三次革命，而黑暗未嘗稍減。其原因之小部分，則爲三次革命皆虎頭蛇尾，未能充分以鮮血洗淨舊污，其大部分則爲盤踞吾人精神界根深蒂固之倫理道德文學藝術諸端，莫不黑幕層張，污垢深積。」（註一）

可以說，他是爲了掃除「精神界」——亦即文化上的黑幕污垢而鼓吹文學革命。至於他日後之創立中國共產黨，乃是「以鮮血洗淨舊污」的「第四次革命」。於是在共產革命運動中，出現了「革命文學」的口號。

第一節　「革命文學」的前奏

一個口號的提出，有它的蘊釀先聲。現在略舉日後文壇有名人士的作品。

郁達夫於一九二三年九月廿七日在《創造周報》上發表了「文學上的階級鬥爭」。他說：「偉大的俄國人已經創建了『莊嚴偉大的泊洛來塔利亞Proletariat（一般音譯為「普羅列塔利亞」，意即「無產階級」）的王國，……二十世紀的文學上的階級鬥爭，幾乎要同社會的實際的階級鬥爭，取一致的行動。」（註二）

同一刊物上，還有郭沫若的「我們的文學新運動」。它批評道：「四五年以前的白話文學革命，在破絮襖上雖打了幾個補綻，……但是裏面的內容依然是敗絮，依然還是糞土。Bourgeois（資產階級）的根性，在那些提倡者與附合者之中是植根太深了。我們要把惡根性和盤推翻，……我們的運動要在文學之中爆出無產階級的精神，精赤裸裸的人性。」（註三）

瞿秋白於一九二四年六月出版的《小說月報》上發表了「赤俄新文藝時代的第一燕」，介紹已故的蘇俄「無產階級文化的『第一燕』——兩位死於其天職的勞工詩人，無產階級文化運動的創造者——菲獨·嘉里寧和柏塞勒」。它說：「文藝上的一切『貧民同情』派實際上仍不失其為資產階級的『詩境』，不過站在上流社會的觀點說句公平話罷了。……無產階級在資產階級的統治之下，……那裡能得一根據地來安安穩穩栽培將來人類的文化基礎呢？——除非是……（原文標點如是）。」（註四

）

蔣光赤（後改名光慈）以蔣俠僧爲筆名，於一九二四年八月的《新青年》季刊第三期上，發表了「無產階級革命與文化」。强調「無產階級革命，不但是解決麵包問題，而且是爲人類文化開一條新途徑。……無產階級亦與其他階級一樣，在共產主義未實現以前，當然能創造出自己的特殊文化——無產階級的文化。……但在無產階級未握政權的國家中，此種無產階級文化，當然發展在極低度，因爲物質力量欠足，無產階級不能爲所欲爲的原故。」（註五）

以上各文的標題和摘引的內容，意義顯然，不待贅述。但「新文學運動」已被「文學新運動」所否定，因爲「貧民同情派」的文學，縱能暴露社會黑暗，仍然只是「同情」；而「無產階級」的文學和文化，雖要等那階級能夠「爲所欲爲」的時候纔能盛大，但此時卻「當然」能創造出來。

可以指出，上述諸位的馬列主義素養並不高深。當時與郭沫若等共立「創造社」並辦刊物的郁達夫，可說僅以浪漫主義的心態去析賞那新起的共產思潮。後來他雖曾因魯迅推薦，而以非黨員身份加入「左聯」，旋即自動而公開的退出，與中共完全脫離關係。

郭沫若則在民國十五年（一九二六）去廣州廣東大學任教時，先加入國共合作的國民黨；到民國十六年（一九二七）下半年——亦即國共合作破裂之初，再參加共產黨。（註六）後來他更逃往日本，長期脫離了中共的「組織生活」。可能由於這原因，他於一九五八年一月再度入黨。（註七）總之，他此時對「馬克思主義」的知識還很膚淺，例如他的著名詩爲「女神」（亦在一九二三年出版），

其中說：「我是個無產階級者，因爲我除個赤條條的我外／甚麼私有財產也沒有／……我願意成個共產主義者。」（註八）

如果他曾細看過馬克思的《共產黨宣言》，就該知道，無產階級專指「產業工人」，手工業者和農民等都是「不革命的」，而「赤條條」的無業無產者，只能算是「流氓無產階級」（舊譯「危險無產階級」）——它是「舊社會最下階層腐化過程的消極產物，它雖間或被無產階級革命捲入到運動中來，但它的全部生活狀況都更使它甘願受人收買去幹反動勾當」。（註九）

瞿秋白習俄文，一九二一秋季，他在莫斯的「東方大學」中國班充當翻譯和助教（班上有劉少奇等人），因而對於斯大林式的「馬列主義」以及蘇俄文學，比其他中共作家素養深厚，所以後來能繼陳獨秀而爲中共最高領導人。

蔣光赤，共產黨員，於一九二一派往蘇聯留學，一九二四年返國後，曾任馮玉祥的蘇聯顧問的翻譯，後在「上海大學」任教。他曾與「創造社」合作，其後更與錢杏邨等於一九二八年組織「太陽社」。創、太二社將來成爲「圍剿」魯迅的先鋒。他熱衷於「革命文學」，頗有水平。但在「左聯」成立後，因不願被迫到馬路上去做示威工作而被開除黨籍，一九三一年病故上海。

此外，類似的文章還有秋士（董紹明，又名秋斯、時雍）的「告研究文學的青年」（見一九二三年十一月十七日《中國青年周刊》第五期，該刊爲「社會主義青年團」的機關刊物）。惲代英的「八股」（前刊第八期，一九二三年十二月八日出版）。鄧中夏的「新詩人的棒喝」（與惲代英的文章同時刊出），以及他的「貢獻於新詩人之前」（同刊第十期，一九二三年十二月廿二日刊出）。由於內容多屬鼓吹共產革命的口號，餘無足述，不予贅引。

就時間而言，這些文章都發表在中共參加國民黨的前後。由它們可以反映出中共當時所謂的「黨內合作」用意爲何——用國民黨的旗號，發展自己的組織；以「國民革命」的名義，推行共產革命運動。

第二節 「革命文學」的起伏

民國十四年（一九二五）元旦，亦即國民黨「容共」後一週年，蔣光赤就用他本來的名字，在上海《民國日報》副刊「覺悟」上，發表了「現代中國社會與革命文學」；它是這口號的正式出現。（註一〇）

這篇歷史性的文章，首先感慨地說：「中國現代社會應該產生幾個反抗的，偉大的，革命的文學家。但是，在實際上，這樣的文學家，我們找不出來。……自從文學革命以來，所謂寫實主義一名詞，漫溢於談文學者的口裏。我們以爲文學是社會生活的反應，當然不反對寫實主義，並且以爲寫實主義可以救中國文學內容空虛的毛病。不過我們莫要以爲凡是寫實的就是好文字，都是我們所需要的文學」。它指出，「市儈派」小說家的作品也近於寫實主義，但它不談——並且害怕——革命。

對於「革命文學家」，它作了一個界說：「誰個能夠將現社會的缺點、罪惡、黑暗……痛痛快快地寫出來，誰個能夠高喊著人們來向這缺點、罪惡、黑暗……奮鬥，則他就是革命的文學家，他的作品就是革命的文學」。在另一面，凡是「近視眼」、「無革命性的」、「安於現實社會生活的」和「市儈」，都不能成爲「革命文學家」；至於「厭棄現社會，而又對將來社會無希望的也不能做革命的文學家」。

可以如此說，日後中共作家「圍剿」魯迅時，就是把他看做「也不能做」的一類。就魯迅本身而言，儘管他讚揚斯大林、毛澤東，並且左袒中共，但從未說過共產革命成功後會有美好的社會出現。他反而告誡「左聯」盟員，革命成功後的「革命文學家」，不會有特別享受，坐在上帝旁邊吃糖果。（見第五章第二節）

大約一年半之後，郭沫若在一九二六年五月出版的《創造月刊》第三期上，發表了「革命與文學」。（註一一）該文論及「革命與文學的關係」時，首先反對一般認爲「文學家」與「革命家」是兩派不同人物的看法。它說，一般以爲文學家不問世事，對於革命，冷靜的人可以採取超然態度，不然就竭力詛咒。這種人無論是舊式或新式文人，確是隨處可見。另方面「革命家」則輕視或否認文學，並且認爲從事文學的人「狗錢不值」。

但它强調，事實上「文學和革命完全一致」，因爲「文學是革命的前驅——在革命的時代必然有一個文學上的黃金時代」，例如一七八九年的法國革命，以及一九一七年俄國的革命。在革命中，至少有兩個階級對立。站在壓迫階級說話的人是反革命分子，他所創作或欣賞的文學也是反革命的；站在被壓迫階級立場說話的，就是革命人，他所創作和欣賞的就是革命文學。因此他認爲：當「我們得出了文學的兩個範疇，所有一切概念上的糾紛，都可以無形消滅，而我們對於文學的態度也就可以決定了」。同時他引用《共產黨宣言》中的論點說：「社會中的革命現象，自從私有財產制度產生後永遠沒有止息」；對文學則再次申言：「眞正的文學只有革命文學的一種。所以眞正的文學永遠是革命的前驅，而革命的時期中總有一個文學的黃金時代出現」。

對於當代文藝應以何者爲革命性質，他說：「浪漫主義的文學早已成爲反革命的文學，一時的自然主義雖是反對浪漫主義而起的文學，但在精神上仍未盡脫個人主義與自由主義的色彩……。而在歐洲今日的新興文藝，在精神上是徹底表同情於無產階級的社會主義的文藝，在形式上是徹底反對浪漫主義的寫實主義的文藝」，因此「我們所要求的革命文學，其內容與形式是很明瞭的。凡是表同情於無產階級而且同時是反抗浪漫主義的便是革命文學。」

此時，身爲國民黨黨員的他，對「國民革命」也有一番交代：「我們對內的國民革命的工作，同時也就是對外的世界革命的工作。……那麼我們的革命，不根本還是以無產階級爲主體的力量對於他們有產階級的鬥爭嗎？」

此時，郭沫若的共產思想水平較前提高，能把「國民革命」詮釋爲共產黨的「世界革命」。在文學上，他革掉了自己早先的浪漫主義的命；並用「文學新運動」去革「新文學運動」的命，使「文學革命」質變爲「革命文學」。

緊隨郭文之後，成仿吾也在《創造月刊》第四期（一九二六年六月一日出版）發表了「革命文學與它的永遠性」。（註一二）它說：「文學的內容必然是人性（Human nature）」而人性可以分爲「積極的——眞實，正義，仁愛等；消極的——虛僞，不義，嫌惡等」；到現在，積極的人性「已成至當不移的眞理」，因此可能產生一種特別的文學——革命文學。

但它也表示：「文學是這樣可以分爲一般的與革命的兩種。但革命文學不因爲有革命二字便必要（以）革命這種現象爲題材，要緊的是所傳的感情是不是革命的。一個作品縱然由革命這種事實取材，但他仍可以不是革命的，更可以不成文學。……革命是一種有意識的躍進。不問是團體的與個人的，凡是有意識的躍進，皆是革命。……革命的文學家，當他先感或同感於革命的必要的時候，他便以審美的文學的形式付出他的熱情。……廣義的說，文學在某種意義上多少總可以說是革命。但我們現在不妨依常識的見解仍將分爲一般的與革命的」。基於此，該文列出下述的公式：

（眞摯的人性）＋（審美的形式）＝（永遠的文學）。

（眞摯的人性）＋（審美的形式）＋（熱情）＝（永遠的革命文學）。

在結論時，它說：「如果文學作品要是革命的，它的作者必須是具有革命的熱情的人；……而我們維持自我意識的時候，我們還須維持團結意識；我們維持個人感情的時候，我們還須維持團體感情。要這樣，纔能產生革命文學而有永遠性」。

成仿吾在這篇文章裏，似乎留下一半空間給「永遠的文學」；但結論中的强調要有「團結意識」和「團體感情」，纔能產生確有「熱情」的「永遠的革命文學」，又將前者的空間排除了。由於此文撰於第一次「國共合作」期中，看來充滿推動「聯合戰線」的意味。應該說明，在這時期中，兩黨人士都提倡「革命文學」；有些是鼓吹共同的革命，有些是各說各話。由於國民黨人士保留的資料不多，難作較有系統的引述；但在日後魯迅談論「革命文學」的文字中，仍可見其一鱗半爪（例如第三節所引）。

到這時候，「革命文學」的初步鼓吹，可以說告一段落。不久的將來（民國十六年四月間），魯迅將發表他對「革命文學」的意見，頗不同於郭沫若們的觀點。

此外，在國民黨民十六年「清共」、「分共」之後，遠走日本東京的成仿吾，更於該年十一月，在《創造月刊》第九期上，發表了他的「從文學革命到革命文學」。（註一三）該文的內容雖然罕有特色，但標題卻有歷史性的意味。

除敍述文學革命以來的種種歷程外，它斷言未來中國文學的發展，可按唯物辯證法推知其必為「革命文學」，因為在當代的兩大對立戰壘中，一面是「資本主義和法西斯蒂的孤城」，另一面是終必勝利的「全世界農工大眾聯合陣線」。在這形勢之下，作家應該克服自己的小資產階級意識，正確把握辯證法的唯物論，從而投身到革命陣容中去。

附帶一提，分析這段時期的作品甚多，不遑枚舉。但採用同一題目而作客觀分析的，主要有劉心皇著「從文學革命到革命文學」。(註一四)侯健著《從文學革命到革命文學》。(註一五)這兩個作品撰寫的時間近同，惟出版稍有先後。它們都徵引了必要的第一手資料，可以補足本文以主題所在不能詳述之處。在這些之前，還有鄭學稼的《由文學革命到革文學的命》。(註一六)

鄭氏書中的第九章「革文學的命」有此結論：「……五四運動的『文學革命』始於陳獨秀的『文學革命論』，終於毛澤東的『文藝講話』(「在延安文藝座談會的講話」)。如果前者是高揭文學革命的大旗，那後者就是砍下它。因為『文藝講話』是革文學的命的判決詞。」

似可補充說，「革命文學」雖然强調「共產革命」，但多數「革命文學家」仍然承認要有「藝術性」，而且要求可以暴露現實社會中的黑暗和缺失。可是毛澤東的「文藝講話」卻規定不能揭露共區的黑暗，更置政治性於藝術性之上。這一來，連早先鼓吹的「革命文學」的命也被革掉了。瞭解了這一點，纔能說明中共的歷次文藝整風：延安時期的「野百合花事件」(王實味終於被殺)，蕭軍於民國卅六年(一九四七)在東北主持《文化報》時，因反俄批共而被整；中共在建立政權後和「文革」前的整肅胡風，丁玲，陳企霞，馮雪峯，邵荃麟，夏衍，田漢等人。(註一七)在「文革」中，幾乎所有作家都受過不同程度的迫害。在「文革」後，仍然有白樺，劉賓雁，王蒙，王若望等作家的屢遭批判。(註一八)特別是後一批人，他們可說是「吃共產黨奶水長大的」，對於中共革命的成果，不僅是「感同身受」而已。

總之，就名目而言，「革命文學」至此可算告一段落；但就內容而言，它並無改變，可以用「大眾文學」、「工農兵文學」等等的面貌出現。

第三節　魯迅談「革命文學」

當郭沫若等發表了許多文章鼓吹「革命文學」之後，民國十六年（一九二七）四月八日（廣州「四・一五」清共前七天），魯迅去黃埔軍校講演，題目是「革命時代的文學」。他首先表示，自己的屢次推宕不來，正因爲對文學「並不懂什麼」。他認爲，文學本是最不中用的人講的，「但在這革命地區的文學家，恐怕總喜歡說文學和革命是大有關係的，例如可以用來宣傳、鼓吹、煽動，促進革命和完成革命。不過我想，這樣的文章是無力的。……爲革命起見，要有『革命人』，『革命文學』倒無需急急，革命人做出來的東西，才是革命文學」。他進一步表示，小革命雖不能影響文學，「大革命」卻能，並且可以分爲三個時期。第一，在大革命前，所有的文學大抵是對種種社會現象覺得不平、痛苦，因而叫苦，鳴不平。但對革命並無什麼影響，惟有富有反抗性和力量的民族，將哀音化爲怒吼，反抗就快到了。所以與革命爆發時代接近的文學每帶憤怒之音，如蘇俄。第二，在大革命時代，文學無聲，因忙於革命，無暇談文學。第三，大革命成功後，就產生讚揚革命，與對舊社會唱輓歌的兩種文學。不過中國無此兩種文學，因爲革命尙未成功，只在蘇俄有這兩種。往後推測，將來大約是會出現「平民文學」罷。（註一九）

他的觀點，近似托洛茨基的名言：「詩之夜鶯與那智慧之鳥貓頭鷹一樣，只能在日落之後纔能聽到。」（註二〇）從這些和以後所引魯迅的言論來看，他的革命文學觀可以說是「托派」的，與遵守斯大林派的中共作家不同。將來的意見相左，這應該是原因之一。

同年七月十六日，他在廣州知用中學講「讀書雜談」。談及新文學時，他建議要看廚川白村的《苦悶的象徵》，本間久雄的《新文學概論》，以及瓦浪斯基等的《蘇俄的文藝論戰》。並且他「附帶說一句，近來聽說連俄國的小說也不大有人看了，似乎一看見『俄』字就吃驚，其實蘇俄的新創作何嘗有人紹介，此刻譯出的幾本，都是革命前的作品，作者在那邊都已經被看作反革命了。」（註二一）這一天正是汪精衛也在武漢「分共」的翌日。他說近來「似乎一看見『俄』字就吃驚」，不無諷刺意味。特別是他的推薦《蘇俄的文藝論戰》，可見他並未有所顧忌。

《蘇俄的文藝論戰》係由中共黨員任國楨所編譯，收有瓦浪斯基等於一九二三——二四年間的四篇文藝論爭文字，於一九二五年八月，由北京北新書局出版。魯迅爲之作「前記」，其中說俄國一九一七年十月革命後，在「戰時共產主義」下，文藝幾入痲痺狀態，「待到一九二一年，形勢就一變了，文藝頓有生氣，最興盛的是左翼未來派，後有機關雜誌曰《烈夫》……意義是藝術的左翼戰線，——就是專一猛烈地宣傳Constructism（構成主義）的藝術和革命底內容的文學的。……不獨文藝，中國至今於蘇俄的新文化都不了然」，因此該書「至少對留心世界文藝的人」有益。他並指出，其中「蒲力汗諾夫與藝術問題」一篇，不是論戰文字，而是用馬克思主義於文藝研究，可供連類的參考。

（註二二）由此可見他對馬克思式的文藝理論與蘇俄文藝派別及意見，早有關注，大非速成的革命文學家可比。至於「蒲力汗諾夫」（一般譯作「普列漢諾夫」等）的《藝術論》，日後他還將親自譯出。

同年七月廿三日及廿六日，他在廣州夏期學術演講會上，發表「魏晉風度及文章與藥及酒之關係」；中共日後注釋說，該文曲折地對國民黨反動派進行了揭露和諷刺。（註二三）

但就講詞中評論魏晉文風而言，它雖說陶淵明等並未忘情朝政，但稱讚「曹操是一個很有本事的人，至少是一個英雄」，因為當時「大亂之後，大家都想做皇帝，大家都想叛亂」，沒有他「不知有多少人稱王稱帝」。並且由於他而影響到文風的「清峻、通脫」。對於曹丕時代，更稱之為「文學自覺的時代，或如近代所說的為藝術而藝術」。如果也將這些話加以引伸解說，則「英雄」不是想叛亂稱王的人，而文學不是「為革命而文學」。

九月十五日，他寫「扣絲雜感」，就《語絲》第一二三期由滬寄穗被查扣一事，借題發揮。其中說：「自從『清黨』以後，……卻又增添了一種神經過敏。『命』自然還是要革的，然而又不宜太革，太革便近於過激，過激便近於共產黨，變了『反革命』了。所以現在的『革命文學』是在頑固這一種反革命和共產黨這一種反革命之間。於是又發生了問題，便是『革命文學』站在這兩種危險物之間，如何保持她的純正——正宗。這勢必至於必須防止近於赤化的思想和文字。例如攻擊禮教和白話，即有趨於赤化之憂。因為共產黨無視一切舊物，而白話則始於《新青年》，而《新青年》乃陳獨秀所辦……。」（註二四）

九月廿三日，他寫了「小雜感」，內容共有二十一條，內容亦如「扣絲雜感」之同情中共；例如：「恐怕有一天總要不准穿破布衫，否則便是共產黨」；「凡爲當『局』所誅者，皆有『罪』」。（註二五）

重複一提，到這天爲止，中共在南昌的「八一暴動」，以及瞿秋白、毛澤東於九月發起的「兩湖秋暴」都已過去。賀龍、葉挺在福建汀州以「中國國民革命軍閩南救黨軍事委員會」旗號發起的暴動，就在這天攻入廣東潮安，翌日（廿四）到汕頭。就在廿七日，魯迅攜許廣平離穗赴滬。

綜觀上述魯迅諸作，他的意見雖與郭沫若等相左，但對中共來說，是頗表同情的，何況《而已集》中還收有「革命文學」一文。該文雖未注明何時所撰，但就其發表於一九二七年十月廿一日的上海《民衆旬刊》第五期。可知仍是同時之作。它說：

「今年在南方，聽得大家叫『革命』，正如去年在北方，聽得大家叫『討赤』的一樣盛大。而這『革命』還侵入文藝界來了。最近，廣州的日報上還有一篇文章指示我們以四位革命家爲師法：意大利的唐南遮，德國的霍普德曼，西班牙的伊本納茲，中國的吳稚暉。兩位帝國主義者，一位本國政府的叛徒，一位國民黨救護的發起者，都應該作爲革命文學的師法，於是革命文學便莫名其妙了，因爲這實在是至難之業。」（註二六）

推崇吳稚暉爲「革命文學家」，自然是國民黨人的意見，亦證國民黨人也曾使用「革命文學」的口號。但就發起國民黨「護黨救國」而言，蔡元培與吳氏同爲首要人物。（註二七）魯迅雖然以此譏刺吳氏，但他到上海後，即於十二月十八日接受蔡氏主持的「大學院」的聘書，聘爲「特約撰述員」同時收到該月的月薪三百元，（註二八）並不曾因蔡氏之反共而拒絕。此事與魯迅之在滬遭受中共圍剿，未詳其是否有關；不久蔡氏轉變爲共產黨人的救護者，亦未詳其與魯迅參加「左聯」是否有關；但在時間上卻大體相合。

該文接着表示：「於是不得已，世間往往誤以兩種文學爲革命文學：一是在一方的指揮刀的掩護之下，斥罵他的敵手的；一是紙面上寫著許多『打，打』，『殺，殺』，『血，血』的。如果這是『革命文學』，則做『革命文學家』，實在是最痛快而安全的事。

「從指揮刀下罵出去，從判裁席上罵下去，從官營的報上罵開去，眞是偉哉一世之雄，妙在被罵者不敢開口。而又有人說，這不敢開口，又何其怯也？對手無『殺身成仁』之勇，是第二條罪狀，斯愈足以顯革命文學家之英雄。所可惜者只在這文學並非對於強暴者的革命，而是對於失敗者的革命。

……我以爲根本問題是在作者可是一個『革命人』，倘是的，則無論寫的是什麼事件，用的什麼材料，都是『革命文學』。……但『革命人』就稀有。俄國十月革命時，確曾有許多文人願爲革命盡力，但事實的狂風，終於轉得他們手足無措。顯明的就是詩人葉遂寧的自殺，還有小說家梭波里，他最後的話是：『活不下去了！』在革命時代有大叫『活不下去了』的勇氣，才可以做革命文學。葉遂寧和梭波里終於不是革命文學家。爲什麼呢？因爲俄國是實在在革命。革命文學家風起雲湧的所在，其實是並沒有革命的。」

一望可知，文中所謂「指揮刀下」的革命文學，自然是指反共一面。所謂只在紙上「打、打、殺、殺」，應指反共的另一面。總括來看，魯迅的批評可說是左右開弓，但卻偏左。因此他在民國十七年（一九二八）元月立遭中共作家「圍剿」，未免事出突然。更何況在「圍剿」前的不久，還與圍剿他的中共主將們保有直接和間接的往來。因此，倘若雙方事先毫無溝通，眞可謂一朝反目了。

【附註】

註一：「文學改良芻議」，見《新青年》二卷五號；「文學革命論」，見同刊二卷六號；「新文化運動是什麼」，見同刊第七卷五號。

註二：轉引自劉松綬《中國新文學初稿》上卷。北京，作家出版社，一九五六年第一版，第一三九——四〇頁。

註三：趙家璧編《中國新文學大系》第二集，香港：香港文學研究社影本，一九七二年，第一九九——二〇一頁。其中刪去「無產階級」四字；《中國新文學運動史資料》，上海：光明書局，民國廿三年九月初版，第三三〇——三三二頁（無刪節）。

註四：《中國現代文學史參考資料》第一卷上冊，新華書店發行，一九五九年第一版，第一八三——九一頁；《瞿秋白文集》二，人民文學社，一九五三年；第五五〇——五九頁。

註五：同註四，第一九九——二〇五頁。

註六：郭沫若參加國民黨一事，見史劍《郭沫若批判》香港：亞洲出版社，一九五四年版，第九七——九八頁；他之首次加入共產黨，見龍雲燦《三十年代文壇人物史話》臺北：金蘭文化出版社，民國六十六年版，第七頁。

註　七：蘇雪林「最近加入共黨的郭沫若」，《文壇話舊》，臺北：文星書店，民國五十六年初版，第五三頁。

註　八：《沫若文集》（一），香港：三聯書店，一九五七年港一版，第三頁。

註　九：莫斯科外國文書籍出版局，一九五〇年印行，第三八頁。

註一〇：《中國現代文學史參考資料》第一卷上冊，第二〇六——二一〇頁。

註一一：同註一〇，第二一〇——一九頁。

註一二：張若英編《中國新文學運動史資料》，上海：光明書局，民國廿三年初版，第三七六——七九頁。

註一三：同註一二，第三八〇——八七頁。

註一四：連載於《反攻月刊》第三六八——七一諸期，臺北：反攻雜誌社，民國六十一年十一月至六十二年二月。該文前一部分收入尹雪曼主編之《中華民國文藝史》，臺北：正中書局，民國六十四年臺初版。

註一五：國立臺灣大學外文系，中外文學月刊社，民國六十三年初版。

註一六：香港：亞洲出版社，民國五十九年第三版。

註一七：王章陵著《中共的文藝整風》，臺北：國際關係研究所，民國六十二年修正再版。

註一八：例如：潘耀明《當代大陸作家風貌》，臺北：遠景出版事業公司，民國七十九年初版；葉穉英《大陸當代文學掃描》，臺北：東大圖書公司，民國七十九年初版；周玉山《大陸文藝新探》，臺北：東大圖書公司，民國七十三年初版；《大陸文藝論衡》，周玉山，東大圖書公司，民國七十九年初版。

註一九：《而已集．魯迅全集》（十六卷注釋本）第三卷，人民文學出版社，一九八一年第一版，第四一七——二二頁。按：《魯迅全集》計有㈠民國廿七年（一九三八）之二十卷本（含譯作）；㈡人民文學出版社所出一九五六至五八年之十卷注釋本，及本文主要採用之十六卷本，二者均不收譯作。

註二〇：惠泉譯《文學與革命》香港：信達出版社，一九七一年版，第八頁。此處引文，參照英文本略加修改。Leon Trotsky, Literature and Revolution (The University of Michigan Press, 1968), p.178。

註二一：《而已集》，第四四一——四二頁。

註二二：《集外集拾遺》全集第七卷，第二六六——六七頁。

註二三：《而已集》，第五〇一——一七頁；注三說明此次演講期爲一九二七年七月舉行，並非集中所謂之九月。並且引魯迅於一九二八年十二月三十日致陳濬信中語：「在廣州之談魏晉事，蓋實有慨之言」，推論其爲諷刺國民黨反動派。

註二四：同註二三，第四八五頁。

註二五：同註二三，第五三二——三三頁。

註二六：同註二三，第五四三——四四頁。

註二七：孫常煒《蔡元培先生年譜傳記》，（中華民國）國史館，民國七十五年，第八七二——八七頁。

第三章 「圍剿」魯迅

中共何以圍剿魯迅？在中共黨內有不同的說法。通常認爲「創造社和魯迅、茅盾諸人的『論戰』可以說是進步的小資產階級的知識分子的『內訌』。」（註一）或稱之爲「狹隘的宗派主義」之爭。（註二）這論點至今仍舊，例如周揚（起應）在一九八〇年回憶說，由於「教條主義」和「宗派主義」的影響，「我們許多人未能認識比我們更了解中國社會和中國歷史，更了解民眾之心的魯迅……，一時反把魯迅作爲論爭的主要對象。關於『革命文學』問題的論爭終於引起了黨中央的注意，從一九二九年開始……，要求停止論爭，要求正確認識魯迅、團結魯迅，並著手籌備建立左翼文藝統一組織。」（註三）

這些話，看似合理，但令人不能無疑；因爲在「圍剿」之前不久，雙方至少有下述的來往。

第一節 魯迅與「圍剿」人士的交誼

對於圍剿主力中的「創造性」，魯迅於一九二六年十一月七日由廈門致許廣平信中說：「其實我也還有一點野心，也想到廣州後，對於『紳士』們仍然加以打擊……。第二是與創造社聯合起來，造一條戰線，更向舊社會進攻，我再寫些文字。」（註四）這裡的「紳士」指曾在北京與他論戰的陳西瀅等人；只要談到文藝，他幾乎必然帶上一筆。創造社則以郭沫若、成仿吾等爲主；此時二人均在廣州「廣東大學」（後改稱中山大學）任教。

一九二七年九月廿五日，魯迅在離開廣州的前兩天致李霽野一函，說：「創造社和我們，現在感情似乎甚好。他們在南方頗受壓迫，可嘆。看現在文藝方面用力的，仍只有創造、未名、沉鐘三社，別的沒有。這三社若沈默，中國全國眞成了沙漠了。」（註五）

由此可見，他縱然曾在廣州對「革命文學」發表過自己的意見，對「創造社」則始終視爲同道中人。

民國十六年（一九一七）十月三日，魯迅安抵上海。十月五日，即與曾經參加過「八一暴動」而將來要「圍剿」他的潘梓年，同應友人之邀共餐。（註六）

十一月九日，蔣光慈、鄭伯奇、段可情同訪魯迅；《魯迅全集》注釋本說：他們是去商議共同恢復《創造周報》的問題，魯迅已表同意，但後以創、太二社與他發生論爭，未能實現。（註七）

可是在十二月三日，魯迅曾與麥克昂（郭沫若）等人聯名，在上海《時事新報》刊登《創造月報》復刊廣告，並爲該刊特約撰述員。（註八）可見上次的商談，業已付諸行動。

十二月十三日，魯迅與潘漢年等同往「中有天」晚餐。（註九）漢年是梓年的親弟，也是將來「左聯」的幹部。

民國十七年（一九二八）一月廿四日，潘梓年又來拜訪。（註一〇）

更可一提的是，就在這一年年初，魯迅自動參加了「革命互濟會」（它是共黨的國際性組織，由黨幹與「進步人士」合組，募款救濟黨員及其眷屬）。（註一一）他曾多次捐款，有時一次高達百元。（註一二）同時在這組織中他結識了日後的「左聯烈士」柔石（趙平復），而柔石又介紹以後的「左聯」主幹並且服侍他十年之久的馮雪峯。（註一三）

單從以上這些來看，雙方至少是相安無事的。可是就在這一個月當中，後期「創造社」中的馮乃超，竟然在《文化批判》第一期上，發表了「藝術與社會生活」一文，引發了「圍剿」之役。

如前所言，就在雙方達成合作協議，中共文化幹部正與魯迅直接往來的時候，居然毫無預兆地發生這一場突變，確是令人費解的。中共此時所急需的是聯合一切不滿和反對國民黨的文武勢力，但竟然自毀成約，轉而攻擊願與合作的魯迅，決不是他們擅長運用「聯合戰線」的作風。若眞出自所謂的「狹隘宗派主義」而生「內訌」，那眞是：合作化內訌，變生肘腋；干戈代玉帛，禍起蕭牆。

因此，若要探索導致破裂的原因，還須從其他方向着手。從現有資料來看，或許由於以下兩個因素。

第一，魯迅於去年十二月十八日應聘爲「大學院」的「特約撰述員」。大學院是政府的最高教育機構，在中共看來，那就是國民黨反動派的機關，何況主持人蔡元培此時仍是「護黨救國」的首要人物。易言之，中共當局，或其作家，恐怕魯迅在這種環境中有所改變。因而在攻擊文字中，竟加魯迅以「封建餘孽」和「主張殺青年的棒喝主義者」等罪名。（註一四）

第二，或許因爲魯迅在接聘之後所作的一次演講中，語氣與措辭似有若干轉變的跡象，使當時因暴動失敗而群集上海的中共作家，羞怒幷作，遂致群起而攻，形成「圍剿」。但如說它是一次自發性行動，未經上級同意，仍是頗難置信的。因爲創造、太陽兩社對外雖是文學集團，對內都是中共的小組。這將在第四章中談到。

第二節　「圍剿」的高潮

就在魯迅接受「大學院」聘書的第三天，他應章衣萍之邀，前往暨南大學演講，題目是「文藝與政治的歧途」。（註一五）章衣萍不是「革命」作家，暨大又乏「進步」色彩，並且講詞內容說：

「我每每覺得文藝和政治時時在衝突之中；文藝和革命原不是相反的，兩者之間，倒有不安於現狀的同一。惟政治要維持現狀自然和不安於現狀的文藝處在不同的方向。……政治想維持現狀使它統一，文藝促進社會進化，使它漸漸分離；文藝雖使社會分裂，但是社會這樣才進步起來。文藝既然是政治家的眼中釘，那就不免被擠出去。外國許多文學家，在本國站不住腳，相率逃到別個國度去，…

……要是逃不掉，那就被殺掉，……俄國許多文學家受到這個結果，還有許多充軍到西伯利亞去。……俄國的文學家被殺掉的、充軍的不在少數，而革命的火焰不是到處燃著嗎？……我在廣東，曾經批評過一個革命文學家（即上述之吳稚暉）——現在的廣東，是非革命文學不能算做文學的，是非『打打打、殺殺殺、革革革、命命命』，不能算做文學的——我以為革命並不能和文學連在一塊兒，雖然文學也有文學革命。但做文學的人總得閑定一點；正在革命中，那有功夫做文學。……革命成功以後，閑定了一點；有人恭維革命，有人頌揚革命，就是頌揚有權力者，和革命有什麼關係？」接著他說：「文學家的命運並不因自己參加過革命而有一樣改變，還是處處碰釘子。……所以以革命文學自命的，一定不是革命文學，世間那有滿意現狀的文學？除了吃麻醉藥！蘇俄革命以前，有兩個文學家，葉遂寧和梭波里，他們都謳歌過革命，直到後來，他們還是碰死在自己所謳歌希望的現實碑上，那時，蘇維埃是成立了！」

前面所提的俄國，指帝俄，自然不犯忌諱。後面所說的是蘇俄，內容亦屬實情。然而有兩處地方可能使中共敏感。他說話時的「現在的廣東」，中共就在當月十一日發起了「廣州暴動」，成立過「廣州蘇維埃政府」，在共產國際代表紐曼的指揮下，燒殺甚慘，但在十三日失敗。再則它根本否定「革命文學」和那一種「家」，即令有俄國那樣的蘇維埃出現，文學家「還是碰死在自己所謳歌希望的現實碑上」。這話頗可稱為警世之言，但可能觸犯中共之忌諱。也許由於這原因，他不把它收入《三閑集》中，後來還是由楊霽雲抄集舊稿，交他於民國廿四年（一九三五）編為《集外集》而出版。

由是，前述馮乃超的「藝術與社會生活」，便譏刺紹興出生的魯迅說：「這位老生……是常從幽暗的酒家樓頭，醉眼陶然地眺望窗外的人生。世人稱許他的好處，只是圓滑的手法一點，然而，他不常追懷過去的昔日，悲悼沒落的封建情緒，結局他反映的只是社會變革期中的落伍者的悲哀，無聊賴地跟他弟弟（周作人）說幾句人道主義的美麗的說話。隱遁主義！好在他不效L. Tolstoy（托爾斯泰）變爲卑污的說教人。」（註一六）

所謂「手法圓滑」，應指魯迅在言論上則左右開弓，在政治上則非左非右。雖然不曾悲悼沒落的封建，卻在時代中落伍。繼此而來的，有成仿吾發表於《洪水》第三卷廿五期（一九二八年一月）的「完成我們的革命文學」。它針對魯迅「文藝與政治的歧途」中所說：「做文學的人總得閑定一點，斥之爲「在小天地中自己騙自己的滿足，它所矜持的是閑暇，閑暇，第三個閑暇。」（註一七）

在這一年二月出版的《文化批判》第二號上，李初梨（創造社中人物）接著發表了「怎樣的建設革命文學」。（註一八）它的內容大體可以從標題上推測出來，亦即重申舊論，認爲按照「歷史的內在的發展……應當而且必然地是無產階級文學」，而「我們的文學家，應該同時是一個革命家，……他的藝術的武器，同時就是無產階級的武器的藝術」；談到藝術，李初梨引用美國作家辛克萊（Upton Sinclair）的話：「一切藝術都是宣傳」。同時，它對魯迅經常諷「革命文學家」只會空喊「打打、殺殺、血血」，有如此的駁斥：「社會上，一定有一些常識的煽動家，向我們發出嘲笑，他們說：你們既口口聲聲在革命，何以不去直接行動，卻來弄這種咬文嚼字的文學？我們要看出他們的奸詐來：

這是他們的退兵計；有產者差來的蘇秦的游說。」

在攻擊初起之中，魯迅於一月十九日在《語絲》周刊第四卷五期上，發表了「文學與出汗」，諷刺「上海的教授對人講文學，以爲文學當寫永遠不變的人性，否則便不長久」的說法。魯迅表示人性不能永久不變；如認爲流傳的便是好文學，消滅的便是壞文學，便是把成王敗寇的「中國式的歷史論」轉化爲「中國人的文學論」。文末更說：「在中國，從道士聽論道，從批評家聽談文，都令人毛孔痙攣，汗不敢出。然而這也許倒是中國的『永久不變的人性』罷。」（註一九）

文中所說的教授，乃指在暨南大學任教的梁實秋；它所批評的文學論，即爲梁氏早先發表的「文學批評辯」。魯迅在北平時，即與梁氏、陳源（西瀅）等爲不共戴天的文敵。此時同在上海，自不能容。並且梁氏等將於這年三月創辦《新月月刊》，對中共的「革命文學」加以批判。而魯迅則與中共作家合組「左聯」來對付他們。

同在一月間，魯迅還在廿八日出版的《語絲》周刊四卷七期發表了「文藝和革命」。（註二〇）它說：「歡喜維持文藝的人們，每在革命的地方，便愛說『文藝是革命的先驅』。」可是，在中國，革命軍纔是第一先驅；手持國旗、高呼口號，歡迎軍官們的人民代表是「第二先驅」；至於做「革命文學、民眾文學、同情文學、飛騰文學」去「指導青年」的文學家，只算「第三先驅」。在這種情況下，它譏諷道，「倘苦硬要樂觀，也可以了。因爲我們常聽到所謂文學家將要出國的消息，看見新聞上的記載，廣告；看見詩；看見文。雖然尚未動身，卻也給我們一種『將來學成歸國，了不得呀！』的預感，——希望是誰都願意有的。」

所謂「同情文學」，乃指脫離中共的「叛徒」所寫的懺悔與互表同情的文字；「飛騰文學」即飛黃騰達的簡稱。宣稱即將出國但並未動身等等，乃指「革命文學家」們既作宣傳而又借以隱密行藏的舉動。這是一篇左右開弓，一網打盡的雜感，還不算是對於「圍剿」的正面答覆。他的正面答覆，見於該年三月十二日《語絲》四卷十一期上的「『醉眼』中的朦朧」（文後自註撰寫日期為二月廿三日）。（註二二）題目中的「醉眼」就出自馮乃超「藝術與社會人生」中的警語——「醉眼陶然地眺望窗外的人生」。

在他這篇頗長的雜文中，當然對馮乃超、李初梨、成仿吾等的文章予以反擊，並對整個「創造社」也加以諷刺。但談到當時所有各種刊物時，卻說它們的共通點就是「有些朦朧」。他認為「朦朧的發祥地……也還在那有人愛，也有人憎的官僚和軍閥。和他們已有瓜葛，或想有瓜葛的，筆下便往往笑迷迷，向大家表示和氣，然而有遠見，夢中又害怕鐵鎚和鐮刀，因此也不敢分明恭維現在的主子，於是在這裡留著一點朦朧。和他們瓜葛已斷，或則並無瓜葛，走向大眾的，本可無顧忌說話了，……（但）會忘卻他們的指揮刀的傻子究竟不多的，這裡也就留著一點朦朧。於是想要朦朧而終於透露色彩的，想顯色彩而終於不免朦朧的，便在同地同時出現了。」

在這段話中，針鋒主要指向「官僚、政客」以及與他們已有或想有瓜葛的人。對害怕「鐵鎚、鐮刀」（共產黨標誌）者，則表示輕蔑；對於「走向大眾去的」則表示諒解與同情。在結語中，他如此說：

「不遠總有一個大時代要到來。現在創造派的革命文學和無產階級作家雖然不得已而玩著『藝術的武器』，而有著『武器的藝術』的非革命文學家也玩起這玩意兒來了，有幾種笑迷迹的期刊便是這。他們也不大相信手裏的『武器的藝術』了罷。那麼，這一種最高的藝術——『武器的藝術』現在究竟落在誰的手裏了呢？只要尋得到，便知道中國的最近的將來。」

所謂「笑迷迷的期刊」，自指反共刊物。至於「武器的藝術」決定中國的將來一語，頗似「槍桿子底下出政權」。

魯迅的雜文向以尖刻見稱，對文敵的態度亦復不留餘地，但這一篇卻有可以廻旋的空間。再如他在四月四日所作的「文藝與革命」中，一方面强調：「一切文藝固是宣傳，而一切宣傳並非全是文藝」，並說「中國之所謂革命文學，似乎又當別論。招牌是掛了，卻只在吹噓自己同伙的文章，而對於目前的暴力和黑暗不敢正視。作品雖然也有些發表了，但往往是拙劣到連報章記事都不如。」但除了諷刺「革命文學家」既不革命、又無文學之外，他卻肯定說：「各種主義的名稱的勃興，也是必然的現象。世界上時時有革命，自然會有革命文學。世界上的民眾很有些覺醒了，雖然有許多在受難，但也有多少佔權，那自然會有民衆文學——說得徹底一點，則第四階級文學。」（註二二）在這裡，他承認了「民衆文學」亦即「第四階級文學」的「自然會有」。看來他存心讓步。

第三節 「圍剿」的落幕

雙方筆戰，尚未休兵。這四月份成為魯迅多產的一月。可是他逐漸掉轉矛頭，把尖鋒指向聘他為公務員的政府。

同在四月，他寫了「扁」，首先說：「中國文藝界上可怕的現象是，盡先輸入名詞，而並不紹介這名詞的函義。於是各以己意為之……。還要由此生出議論來。這個主義好，那個主義壞……等等。……我想，在文藝批評上要比眼力，也總要有那塊扁額掛起來才行。空空洞洞的爭，實在只有兩面自己心裏明白。」（註二三）

也在四月份，他寫「路」，其中說「現在的人間也還是『大王好見，小鬼難當』的處所。出路是有的。何以無呢？只因多鬼祟，他們將一切路都糟蹋了。這些都不要，才是出路。自己坦坦白白，聲明了因為沒有法子，只好暫在炮屁股上掛一招牌，倒也是出路的萌芽。……還只說說，而革命文學家似乎不敢看見了。如果因此覺得沒有了出路，那可實在是很可憐，令我也有些不忍再動筆了。」（註二四）

「扁」諷刺圍剿者之「不學」，「路」則譏責其「無術」；二者相加，乃成「小鬼」。至於「好見」的「大王」，與「不遠的大時代」，當指小鬼」們應該拋棄一切去追尋的人，以及他們必須做的事。

還在四月中，他又寫了「頭」。名爲反駁梁實秋之「攻擊盧騷」，卻談到湖南省將共產黨人郭亮懸首示眾。（註二五）用意毋待解說。

又在四月，他寫「通信」答覆「一個被你毒害的青年Y」，略云：「近大半年來，徵之輿論，按之經驗，知道革命與否，還在其人，不在文章的。……我沒有罪戾麼？有的，現在正有許多正人君子和革命文學家，用明槍暗箭，在辨我革命及不革命之罪，將來我所曾受的傷的總計，我就劃一部分賠償你的尊『頭』。」他還勸對方說：「一到先生個人問題的陣容，倒是十分難於動手了，……眞話呢，我也不想公開，因爲現在還是言行不大一致的好。但來信沒有住址，無法答覆，只得在這裡說幾句。第一，要謀生，謀生之道，則不擇手段。」（註二六）

仍在四月，他寫「太平歌訣」，借當時的民謠諷刺中山陵之行將竣工。他說，這些民謠，每首「雖只寥寥二十字，但將市民的見解：對於革命政府的關係，對於革命者的感情，都已寫得淋漓盡致。雖有善於暴露社會黑暗面的文學家，恐怕也難有做到這麼簡明深切的了。」（註二七）所謂「民謠」者，當時還有人迷信，凡造橋建陵，必叫生人之魂，鎮之基石，以求穩固。中山陵竣工時亦復有此傳言，並有禳解叫魂的歌謠出現。魯迅藉此諷刺「革命政府」及「革命者」，可謂借題發揮。

同樣註明撰於四月的作品，還有「鏟共大觀」，內容可以望題知義。其中談及湘省「斬決八名」中共省委會分子，評論道：「革命被頭挂退的事是很少有的」，也慨嘆「民眾」的痲木。（註二八）

四月二十日的「我的態度氣量和年紀」，結束了這看來多產的一月。內容針對對方指責他這三點，報以譏諷。結尾提到已被斯大林鬥倒的托羅茲基（通常譯作「托洛茨基」），說道：「托羅茲基雖然已經『沒落』，但他曾說，不含利害關係的文章，當在將來另一制度的社會裏。我以為他這話卻還是對的。」（註二九）這些話，涉及魯迅的革命文藝觀。雖然他日後要讚揚斯大林、毛澤東，而貶抑托羅茲基，但在文藝理論上，可稱托派。在中共，對托派有個奇特的名稱，叫做「托匪漢奸」，尤劣於「國民黨反動派」。到「左聯」解散之後，魯迅還將撰文辯駁，申明他與之絕無瓜葛。

同年八月十日，他寫「革命咖啡店」。因為有人撰文說，在這店中，幸遇「我們今日文藝界上的名人，龔冰廬、魯迅、郁達夫等」。魯迅說：「這樣的咖啡店裏，我沒有上去過」，因為不喝這洋大人的東西，也因為「這樣的樂園我是不敢去的，革命文學家，要年青貌美，齒白唇紅，如潘漢年、葉靈鳳輩。……以上都是眞話。」（註三〇）

他所說的應當是眞話。他去「革命咖啡館」，見於日記者為次年（一九三〇）二月十六日：「午後同柔石、雪峰出街飲加菲。」地點是上海北四川路九九八號的「公啡」咖啡館，目的是參加「上海新文學運動者底討論會」，到會者尚有沈端先（夏衍）、馮乃超、陽翰笙（華翰）、蔣光慈、洪靈菲、錢杏邨等十二人。會中決議成立「中國左翼作家聯盟」，由馮乃超起草綱領。（註三一）

民國十九年（一九三〇）三月二日，「左聯」成立，它正式地結束了所謂「圍剿」。但實際的結束，卻更早於此。只是暗地進行，當時鮮為人知而已。

在「圍剿」進行中，中共作家還有更多的文字攻擊。目的相同，內容相似，陣容則以創、太二社爲主。現在引用魯迅在「左聯」出現前後的兩段話，以示大概。

民國十七年（一九二八）八月十日，他在「文壇的掌故」中，談到「圍剿」陣容，道：「我在『革命文學』戰場上，是『落伍者』，所以中心和前面的情狀，不得而知。但向他們屁股那面望過去，則有成仿吾司令的《創造月刊》，《文化批判》，《流沙》，蔣光X（恕我還不知道現在已經改了那一字）拜師的《太陽》，王獨清領頭的《我們》，青年革命家葉靈鳳獨唱的《戈壁》，也是青年革命藝術家潘漢年編撰的《現代小說》和《戰線》，再加一個『眞正跟在弟弟背後說漂亮話』的潘梓年的速成的《洪荒》。但前幾天看見K君（郭沫若）對日本人的談話（見《戰旗》七月號），才知道潘葉之流的『革命文學』是不算在內的。」（註三二）

以上是「圍剿」期間的話。在「左聯」成立之後，他還曾於民國廿一年（一九三〇）四月，追述往事說：一九二八至二九「這兩年正是我極少寫稿，沒處投稿的時期。我是在二七年被血嚇得目瞪口呆，離開廣東的，那些吞吞吐吐，沒有膽子說的話，都載在《而已集》裏。但我到了上海，卻遇見文豪們筆尖的圍剿了，創造社、太陽社，『正人君子』們的『新月社』，都說我不好，……我當初還不過是『有閒即是有錢』，『封建餘孽』或『沒落者』，後來竟被判爲主張殺青年的棒喝主義者了。」（註三三）一讀《而已集》，似乎覺得其所以「吞吞吐吐」還起於政治立場。其中除罵宿敵「正人君子」外，文章的內容時而中立、時而左右開弓。至於「被血嚇得」離開廣州，是身入「左聯」後的說法。只要翻閱他那段時期的日記，便知行色並不匆匆。

就此簡要說明，「創造社」成立於民國九至十年（一九二〇——二一）之間，主要人物為郭沫若、郁達夫、成仿吾，以浪漫主義為文學傾向。民國十六年左右，改為鼓吹「無產階級文學」，馮乃超、李初梨等亦來加入。先後出版過《創造》季刊、《創造周報》、《創造日》、《洪水》、《創造月刊》、《文化批判》等刊物。該社中原本黨員不多，周恩來見狀，「指示」郭沫若「應該在創造社中加强黨的力量，多調些人去，把黨的組織發展起來，使之成為一個堅强的戰鬥堡壘」。（註三四）由此可以證明，「圍剿」魯迅時，「創造社」中人士已是黨員身份。

至於「太陽社」，它在民國十六年（一九二七）下半年成立於上海，主角是蔣光慈、錢杏邨（阿英）、孟超，都是中共黨員。民十七年（一九二八）一月出版《太陽月刊》。「左聯」成立後自行解散。

從上述情形來看，創、太二社之攻擊魯迅，若非中共中央領導人——如周恩來——的「戰略」部署，「至少可以如此地說！中共的中央並未曾認為『圍剿』的不合理。」（註三五）

【附註】

註　一：李何林《近二十年中國文藝思潮論》，上海：生活書店，民國二十八年初版，第一一九頁。

註　二：劉松綬《中國新文學史初稿》上卷，北京：作家出版社，一九五六年初版，第二〇八頁。

註　三：「繼承和發揚左翼文化運動的革命傳統」，《左聯回憶錄》（上），第一一——一二頁。

註　四：《兩地書》，全集第十一卷，第一九一頁。

註　五：《書信》，全集第十一卷，第五八三頁。

註　六：《日記》，全集第十四卷，第六七三頁。

註　七：同註六，第六八三頁。

註　八：「魯迅著作年表」，全集（附集）第十六卷，第廿一頁。

註　九：同註六，第六八三頁。

註一〇：同註六，第七〇〇頁。

註一一：馮雪峯《黨給魯迅以力量》，新華書店河南分店，一九五一年再版。第八——九頁。

註一二：多次捐款事，見《日記》，全集十四卷，第八二九頁，註一；一次捐款百元，見同書，第八三五頁。

註一三：同註一一。

註一四：《三閑集》序言，全集第四卷，第四頁。

註一五：《集外集》，全集第七卷，第一一三——一二〇頁。

註一六：《中國現代文學史資料》第十一卷，東京：大安株式會社，一九六八年印。

註一七：趙家璧編《中國新文學大系》第十集，第四八五頁。

註一八：同註一六。

註一九：《而已集》，第五五七——五五八頁。

註二〇：同註一九，第五五九——五六〇頁。

註二一：《三閑集》，第六一——六六頁。

註二二：同註二一，第七七——八四頁。

註二三：同註一九，第八七頁。

註二四：同註一九，第八九——九〇頁。

註二五：同註一九，第九一頁。

註二六：同註一九，第九九——一〇〇頁。

註二七：同註一九，第一〇三頁。

註二八：同註一九，第一〇五頁。

註二九：同註一九，第一〇八——一二頁。

註三〇：同註一九，第一一六——一一七頁。

註三一：《日記》，全集第十四卷，第八一〇頁及註七。

註三二：《三閑集》，第一二二頁。

註三三：同註三二，第四頁。

註三四：《左聯回憶錄》（上），第六〇——六一頁。關於「左聯」內部的中共黨團（共產主義青年團），以及它們上面的

「文總」和「文委」等組織的概況，將在第四章第一節中，再作較爲詳細的介紹。

註三五：鄭學稼《魯迅正傳》，臺北：時報文化出版事業有限公司，民國六十七年初版，第一六六頁。

第四章 「左聯」的籌備

當魯迅終於進入「革命咖啡館」時，中共已爲籌組「左聯」做了大量的幕後工作。在此首先簡介它的內外結構，看看魯迅走進了一個怎樣的「文藝團體」。

第一節 一體兩面的組織

所謂「一體」，即指它以中共的黨組織爲本體；所謂「兩面」，即它外面使用「文藝團體」的名義。換句話說，它是「內」黨而「外」盟。

首宜指出，「左聯」本是一個蘇俄模式的結構，一如中共之爲俄共操縱的「共產國際」的「中國支部」。因此它將來就依「共產國際」的決議而「自行解散」。簡言之，蘇俄早在一九二八年成立過「俄國無產者作家聯合會」（俄文名稱縮寫爲RAPP，因而中譯簡稱「拉普」）。相對的，中共也在同年十二月三十日組成「中國作家協會」（正式全名爲「中國著作者協會」），由中共黨員成仿吾

、馮乃超、李初梨、錢杏邨等擔任執行委員，黨外人士有鄭振鐸等參加；但以聲勢不足，未能造成轟動，隨即「無形消散」。（註一）

可是，因爲「拉普」對蘇共的加緊集體化和工業化政策頗有不滿，遂於一九三二年四月廿三日被解散，而代之以「蘇維埃作家協會」，加强控制。對於中共作家，例如始終身在「左聯」的夏衍（沈端先），前者的解散「在思想上沒有引起……很大的震動」，因爲他們還「並不了解蘇聯解散『拉普』的意義」。（註二）要眞正了解那意義，還得等到中共政權成立之後。

至於「左聯」內部的中共組織形態，依照它的負責人等的回憶簡述於下。

另一位「左聯」要人陽翰笙（華漢）說：「在創造社裏，潘漢年，李一氓和我，成立了一個黨小組，與太陽社比，他們的黨員很多，可能有二十多人，他們大概有兩個黨小組。蔣光慈，錢杏邨（阿英），……洪靈菲……殷夫……，都是黨員。創造社和太陽社的黨小組，都屬於閘北第三街道支部。因爲這兩個社及出版部（書店）都在北四川路一帶，很多文化人也都住在這一帶，所以屬於一個支部。魯迅、郭老（沫若）也住在這一帶。……這個第三街道支部，最先擔任書記的是潘漢年，我也是支部成員。……第三街道支部，原是由區委領導。有人說陳雲同志，做過閘北區委書記。……第三街道支部後來改爲文化支部，由江蘇省委直接領導。因爲區委覺得他們領導文化工作有困難，就交省委直接領導了。當時省委宣傳部長是李富春同志，文化支部就由他領導。擔任文化支部書記的，最初是潘漢年，後來我也做過。」（註三）

一個街道支部，竟改爲「文化支部」而直屬中共江蘇省委，頗不尋常，似與魯迅具有關係。因爲黨員有事都可按組織層次解決，而若涉及魯迅，「區委」就難作決定。事實上，與魯迅直接連絡的中共領袖，另有地位更高者在。這一點，在討論胡風於「左聯」解放之後與周揚發生「兩個口號」之爭時，有較詳的分析。

陽翰笙又說：「『左聯』一成立，就成立了黨團。擔任黨團書記的，按時間順序，我記得是這樣的：潘漢年（一九三〇年三月開始，後來他可能調到中宣部去工作），馮乃超（爲時較短，後來可能調到武漢作別的工作），陽翰笙（一九三〇下半年——一九三二年下半年。後調至中央文委和『文總』），錢杏邨（時間也較短），馮雪峰，葉林（又名椰林，後來去蘇區，在王明路線搞肅反擴大化時犧牲），丁玲，周揚（一九三三年下半年開始）。」（註四）

「左聯」的聲勢，果不同於早先流產的「作協」，並且「左翼」一詞，既不似「無產者」之露骨，但又夠旗幟鮮明。於是繼之而起的類此組織甚多；例如：「左翼戲劇家聯盟（劇聯）」、「左翼電影人員聯盟（影聯）」、「左翼藝術家聯盟（藝聯）」、「左翼教育家聯盟（教聯）」、「左翼新聞記者聯盟（記聯）」、「左翼自由職業者聯盟（職聯）」、「社會科學家聯盟（社聯）」、「無產詩人聯盟（詩聯）」。其他類似或駢枝機構，族繁難載，例如各種「讀書會」、「文學研究會」等，則以學生、社會青年爲工作對象。

這些組織的性質不僅限於文藝，於是在它們（包括「左聯」）之上，就有一個總攬全局的「文總」——「左翼文化總同盟」。它對外像「左聯」，也算是群眾團體，因爲除黨員外還有「群眾」。

陽翰笙說：「『文總』沒有設黨團。『文委』（文化工作委員會）則是屬於中央宣傳部的機構（不歸省委領導）。『文委』的成員同時也是『文總』黨團的成員，即一套班子，兩塊招牌。擔任『文委』書記（同時也是『文總』黨團書記）的，按時間先後順序是這樣的：潘漢年、朱鏡我、馮雪峰（爲時較短），陽翰笙（一九三二年下半年到一九三五年二月），周揚（一九三五年二月以後開始，其後的情況我不了解。參加『文委』的成員，先後有……雪峰、……夏衍、田漢、錢杏邨……。以上就是從『左聯』成立以前到『左聯』時期黨的組織系統的情況。」（註五）

這「文委」直屬中共「中宣部」，此時的負責人爲李立三。在「左聯」成立時，他與「軍事部」的周恩來，實際同掌大權。

第二節　中共與魯迅的聯繫

魯迅在中共組黨前，已與陳獨秀、李大釗等結識。在國共合作時的廣州，他也與若干中共黨員往來。但這並不表示已有政治性的關係。然而他到上海後的自動參加「革命互濟會」捐款支援，意義卻不一樣。儘管他譏評過「革命文學」和那種「家」，一則可說意見不同，二則還包括國民黨人在內。因此，在上海時期，中共黨員（包括他在「互濟會」中結識的柔石）之與他來往，固然帶有私交，主要由於公事。理由是，中共的黨——無論是公開或轉入地下，都有發展組織的任務，黨員同時是情報員，要將外界一切匯報上級——亦即凡與魯迅來往的人，必然要做瞭解他的言行的工作。以魯迅的老於人情世故，縱令雙方不作直接表示，各人內心應該明白。

本文已經簡述過中共在「左聯」、「文總」中的黨團機構。從那些也可看出一種「多線」及「單線」的領導方式。所謂「單線」，即工作關係與任務交代由一條直線傳遞，不使無關者知情；所謂「多線」，即任務交代可從不同的層次，不同的線路傳遞，但各「單線」上的人物並不彼此知曉。這一來，可以做到保密而又靈通有效，亦即某一單線暴露時，不致影響整個組織和某一任務。這些，是由中共聯繫魯迅中得到的印象；比如說「左聯」中的負責幹部們在多年之後仍然不明白當時究竟何人下令「團結」魯迅，以及各人彼此間的某些關係究竟如何。總之，一切都出於上級的指示。

擇要言之，陽翰笙在一九八〇（民國六十九）年回憶說，創、太二社批評魯迅的事，是在一九二九年秋由李富春（當時中共江蘇省委宣傳部長）找他談話中，纔知道引起了「中央」的注意。他向李富春說明，魯迅已經翻譯和介紹了許多蘇聯的文藝理論——如普列漢諾夫、盧那查爾斯基等人的著作，並且論爭已經緩和下來等情形。李富春認爲論爭不對，要立刻停止，並且指示說：

「像魯迅這樣一位老戰士、一位先進思想家，要是站到黨的立場方面來，站在左翼文化戰線上來，該有多少巨大的影響和作用」。於是開會決定停戰，「即使魯迅批評我們，也不要反駁」，並決定派馮雪峰、馮乃超、夏衍（沈端先）三人去和魯迅談話，終於獲得諒解。但遲至一九七六年，還有同志問他爲何當年突然停止論爭，是否有李立三、周恩來等參與其事？但陽翰笙並不知道，他說：「我沒有問過李富春同志，後來也沒有問過周恩來同志」。（註六）

下文即將引述的資料證明，掌握大權的李立三確曾另外派人去聯繫魯迅，那是另一條線的溝通，非陽翰笙、夏衍等所能預聞。至於陽翰笙當時不問李富春，以及後來不問周恩來，那是合於常識性的行爲。因此，發起「圍剿」是否得到中共中央的指示或默許，或許只有郭沫若等首要人物知道，而他們對此一言未發。但停止圍剿確是中共中央指示的，然而究竟是誰，也在中共內部成了懸案。例如夏衍就說：

「當時在臨時中央工作的和在上海領導文化工作的，除了李立三同志外，還有周恩來、陳雲、李富春、王稼祥、李維漢同志，和一九三一年到上海的瞿秋白同志。我覺得現代文學史上，有一個問題需要解決，即究竟是哪一位中央領導同志首先提出停止文藝界的『內戰』，聯合起來建立『左聯』這一提案的。……現在健在的只有陳雲和李維漢兩位同志。我希望這次在紀念『左聯』成立五十周年的時候，能使這個問題得到澄清。」因爲他當年奉命去見魯迅時，曾向潘漢年問道：「假如我們的建議魯迅不同意怎麼辦？他說：『你放心，這件事已經醞釀了很久，中央負責人已經和魯迅談過，得到了他的同意。』」（註七）

潘漢年並未向他說明誰是那位「中央負責人」。但另一位在中共「中宣部」工作的吳黎平後來回憶說，李立三確曾親加干預：「現在回憶左聯的文章，談到我們黨的領導人發起成立左聯的經過，已經具體講到當時江蘇省委宣傳部長李富春同志的指示。這裡根據我親身的經歷要補充的是，李立三同志也確實就這個問題提出過意見，並且布置我去做過一點工作。……李立三同志要我和魯迅先生聯繫，徵求他的意見。一九二九年底，我可能先是通過馮乃超同志與魯迅聯繫的。馮乃超同志雖然與魯迅有過爭論……。據我所知，他們個人的關係是不錯的。……在我和魯迅聯繫的前後，潘漢年和馮乃超同志也都爲此事找過魯迅」。（註八）

吳黎平的話，並不能完全回答夏衍等人的疑問；陳雲等又未作答覆。看來那問題永無結論。至於懷疑中共中央首要是否在「圍剿」前已與魯迅有所默契，只算是不爲無理的揣測。然而所引資料也證明一點。魯迅與中共作家之間，公事上有爭端，私交上確「不錯」。

「停止」論爭的決議既已作成，雙方的交往自然更爲密切。可以一提的是，還有「國際友人」共襄盛舉，其中之一是，名爲德國《佛蘭克佛日報》記者，實爲「共產國際」工作人員的美國「革命女作家」與美國共產刊物《新群眾》（New Mass）特約撰稿人的史沫特萊（A. Smedly）。

根據魯迅的日記，史沫特萊於一九二九年十二月廿五日寫信給他，當日作覆；廿七日即由蔡詠裳，董紹明（秋士）陪同來見，並「索去照相四枚」。（註九）

此後過從甚密，她曾爲魯迅發起慶祝他的五十壽辰，與若干位左翼作家共聚於上海霞飛路一家外國人開的咖啡館；至於照片則寄往美國發表，並爲文頌揚，稱魯迅爲「遠東革命文學之父」。（註一〇）魯迅死後，她與另一外國友人，日本人內山完造同爲治喪委員之一。

日後魯迅還應史沫特萊之請，爲《新群眾》撰寫了「黑暗中國的文藝界的現狀」。其中說：「現在，在中國，無產階級的革命的文藝運動，其實就是唯一的文藝運動。因爲這乃是荒野中的萌芽，除此之外，中國已經毫無其他文藝。屬於統治階的所謂『文藝家』，早已腐爛到連所謂『爲藝術的藝術』以至『頹廢』的作品也不能生產，現在來抵制左翼文藝的，只有誣蔑，壓迫，囚禁和殺戮；來和左翼作家對立的，也只有流氓，偵探，走狗，劊子手了。」（註一一）所謂「偵探、走狗」，是漫罵提倡「民族主義文學」的人士。

該文除揭露政府當局的壓迫外，它還說：「所可惜的是左翼作家之中，還沒有農工出身的作家。一者，因爲農工歷來只是被壓迫、榨取，沒有受教育的機會；二者，因爲中國的象形——現在是早已變得連形也不象了——的方塊字，使農工雖讀書十年，也還不能任意寫出自己的意見。」後一點，是「左聯」鼓吹漢字拉丁化的論調。

末了，他說當時的左翼作家雖非農工（依中共的說法，應作「工農」）出身，但因他們「正和被壓迫被殺戮的無產者一同受難，將來當然也和無產者一同起來。」

這論點及語調之簡化與「絕對」，頗不似他以往的作風。因爲他此時是以「左聯」領導人的身份，向外國的「新群眾」說話。

就在「左聯」出現前的十七天——亦即二月十三日，魯迅還以發起人身份，參加了「中國自由運動大同盟」的成立大會。在那天的日記上，他簡單地寫下了「又赴法教堂」，亦即漢口路、江西路附

近的聖公會教堂。它是該同盟舉行大會的地址。(註一二)

在五十位列名於「宣言」的發起人中，郁達夫居首，魯迅第二，田漢第三。中共幹部則有潘漢年、畫室（馮雪峰）、沈端先（夏衍）等。單從這些人物來看，它與「左聯」亦如陽翰笙所說的「一套班子，兩塊招牌」。由於參加此會，國民黨浙江省黨部呈請中央通緝「墮落文人」魯迅，結果發出通緝令。

魯迅聞悉，曾向終身摯友許壽裳解釋道：「自由大同盟不是我們發起的，當初只是去演說，按時前往，則來賓簽名者已有一人（記得是郁達夫君），演說次序是我第一，郁講完，便先告辭。後來聞當場有人提議要有什麼組織，凡今天到場者均作爲發起人。迨次口報上發表，則變成我第一名了。……浙江省黨部頗有我的熟人，他們倘來問我一聲，我可以告知原委，今竟突然出此手段，用硬功對付，決不聲明，就算由我發起好了」。(註一三)

若依魯迅所說，他可謂誤入中共的圈套。但據中共人士的回憶，他並非事先毫不知情。侍奉魯迅十年之久的馮雪峰說：組織「中國自由大同盟」時，只要求他列名於發起人中就夠了，「但『左聯』是希望他來號召和領導的。魯迅先生自己也完全不同，他對『左聯』是開頭就表示了積極和主動的態度。在成立之前，和他研究過多次，如名稱中『左翼』兩個字是他認爲『加上去比較明白』而確定放上去的。」(註一四)

無論誰是誰非，魯迅在十七天後，參加了三月二日的「左聯」成立大會並講演，亦且成爲對外的領導人。至於那通緝令，雖使魯迅一時躲入日租界，亦未執行。他在原「大學院」的職位也要到民國二十年十二月纔因裁員而失去。他在致許壽裳信中表示：「被裁之事，先已得教部通知，蔡先生如是爲之設法，實深感激。惟數年以來，絕無成績，……教部付之淘汰之列，固非不當，受命之日，沒齒無怨。」（註一五）可見去職並與通緝無關。

總之，魯迅參加「自由大同盟」集會時，「左聯」已是呼之欲出。國民黨浙江省黨部若果有人來問一聲，未必能得到眞正的「原委」。

此外，研究人士認爲，「新月社」的來到上海或許是促使魯迅左傾的原因之一。民國十六年（一九二七）北伐軍抵南京近郊，局勢很亂，梁實秋、余上沅赴滬；原在北京的徐志摩、葉公超、丁西林、聞一多，與胡適都到了上海。胡與徐志摩有意辦書店和刊物，經過奔走組織，創辦了《新月》月刊，參加者尙有陳源、羅隆基等。這一批「正人君子」是魯迅一向「襲擊」的對象，何況《新月》創刊號上，徐志摩以「新月的態度」發表觀點說：

「正逢著一個荒歉的年頭，收成的希望是枉然的。這又是個混亂的年頭，一切價值的標準是顚倒了的。」並將當時的思想市場分爲十三派，其中「主義派、標語派、偏激派」，乃至「熱狂派、攻擊派」都可適用於中共的「革命文學」。中共革命文學家彭康，立即攻擊。魯迅也難以坐視。尤其他爲加强蘇俄文藝理論，正著手翻譯若干此類著作。梁實秋發表的「文學與革命」既否定「無產階級文學」，又批評了魯迅的翻譯不通。（註一六）於是舊怨新仇俱發，當馮乃超以「評梁實秋的『文學與革命』」作爲反擊時，魯迅也以梁氏爲大敵，無視馮文中那些針對他的指桑罵槐。

誠然，「新月社」如不在上海出現，也許使他減少一個宿敵。但從他身爲政府公務人員，國民黨內也「頗有熟人」，而仍對政府與國民黨不斷攻擊，以及雖與中共作家論戰，而仍舊暗地往來等事推測，則「新月社」不是使他左傾的主因。

第三節　魯迅的思想武裝

前節提到，陽翰笙曾向李富春報告魯迅翻譯蘇俄文藝理論著作，用以說明他在思想上的進步。魯迅本人也曾表白：「我有一件事要感謝創造社的，是他們『擠』我看了幾種科學底文藝論，明白了先前的文學史家們說了一大堆，還是糾纏不清的疑問。並因此譯了一本蒲力汗諾夫的《藝術論》以救正我——還因我而及於別人——的只信進化論的偏頗。」（註一七）說這話時他已是「左聯」的指導者。究其實，他說「一本」是謙虛，關於理論性的譯作，主要者還有下列：

一九二九年二月十四日，譯日人片上仲著《現代新興文學的諸問題》。該書原名《無產階級文學的諸問題》，在「魯迅著譯書錄」中又稱《無產階級文學的理論與實際》。他在該書「小引」中說，譯它的目的很簡單：「新潮之進中國，往往只有幾個名詞。主張者以爲可以咒死敵人，敵對者也以爲將被咒死，喧嚷一年半載，終於火滅煙消。」（註一八）

同年四月廿二日，譯成蘇聯盧那察爾斯基的《藝術論》。在「小序」中，他還建議讀者參考日本茂森唯士的《新藝術論》，外村史郎所譯盧那察爾斯基的《實證美學的基礎》。（註一九）

同年八月十六日，譯成《文藝與批評》，內收前書作者論文六篇。

翌年（一九三〇）四月十二日，譯成《文藝政策》。所謂「政策」者，即蘇聯一九二四——二五年間的政策文件，包括「關於文藝的政策」、「關於文藝領域上的黨的政策」，全俄無產階級作家協會第一次大會決議「觀念形態戰線和文學」。書中附錄了馮雪峰譯日人岡澤秀虎所作「以理論爲中心的俄國無產階級文學發達史」。

七月份，他譯的蘇聯蒲力汗諾夫著《藝術論》，由上海光華書局出版，其中收原作者「藝術論」、「原始民族的藝術」、「再論原始民族的藝術」，以及「《二十年間》第三版序」等四篇論文。除了翻譯，他更大量購買馬列主義書籍。中共傳記家從他《日記》的書賬中做過統計，僅在一九二八年上半年，就有六十多種，包括《從空想到科學社會主義》、《史的唯物論》、《辯證法及其方法》、《唯物史觀解說》、《階級鬥爭理論》、《馬克思主義與倫理》《無產階級文學論》、《列寧的辯證法》。（註二〇）

對自己由閱讀而譯述出版，他有如下的譬喻：「人往往以神話中的Prometheus（普羅米修斯）比革命者，以爲竊火給人，雖遭天帝之虐待不悔，其博大堅忍相同。但我從別國裏竊得火來，本意卻在煮自己的肉的，以爲倘能味道較好，庶其在咬嚼者那一面也得到較多的好處，我也不枉費了身軀。

」（註二一）

至於他在民國十八年（一九二九）所譯的日、蘇兩國的小說和短篇文藝理論，共約四十餘篇，不遑盡引。（註二二）

從上面這些看來，似乎魯迅是到此時纔加强思想武裝。本文前曾提及，他在這方面並非吳下阿蒙，而且要比速成的「文學革命家」高出甚遠。當陳獨秀、李大釗在《新青年》介紹蘇俄革命時，魯迅即是投稿及編輯同人之一。當該刊變爲中共機關刊物遷往廣州時，他仍在投文藝性的稿件。

此外，首先將「共產黨宣言」由日文重譯爲中文的陳望道說：「一九二〇年，我翻譯了《共產黨宣言》，就曾寄贈給魯迅先生。」（註二三）

余延石說：「魯迅在接到〔該〕書後，當天就翻閱了一遍，並稱贊『這個工作做得很好，現在大家都在議論什麼「過激主義」來了，但就沒有人切切實實地把這個主義介紹到國內來，其實這倒是當前最要緊的工作。』」（註二四）

依照此說，則他之讀到「共產黨宣言」，早於日後統治中共數十年的毛澤東。毛之「自認是一個馬克思主義者」，由於他讀了三本書，其中之一是「陳望道翻譯的共產黨宣言」。（註二五）

許廣平則說：「一九二五年，計其閱讀的書籍，大致有這些：《新俄文學之曙光期》、《俄國現代的思潮與文學》、《新俄美術大觀》、《蘇聯文學之理想與現實》、《革命與文學》〔按：即托洛茨基之作」等。

「一九二六年的八月以前，魯迅還沒有離開北京，……就仍繼續讀他愛讀的新文學書籍，如這一期讀物有：《無產者文化論》、《無產階級藝術論》、《新露西亞ハソフレット》（即《新俄羅斯手冊》）、《無產階級文學的實際》、《新俄ハソフレット》（即《新俄手冊》）等書。」（註二六）這些閱讀，雖不使魯迅成爲專門的俄共文藝批評家或理論家，但足以教訓文壇的左傾新秀。

但爲了「救正自己——還因我而及於他人——的偏頗」，他挺身充當左翼文藝的盜火者。

【附註】

註一：《中國共產黨透視》，國民黨中央組織部，臺北：文星書店，民國五十一年複印本，第一二三頁。

註二：「『左聯』成立前後」，中國社會科學院文學研究所編《左聯回憶錄》（二卷）（上），中國社會科學出版社，一九八二年第一版，第三七——三八頁。

註三：陽翰笙「中國左翼作家聯盟成立的經過」，《左聯回憶錄》（上），第六一——六二頁。

註四：同註三，第六五——六五頁。

註五：同註三，第六六——六七頁。

註六：同註三，第六三頁。

註七：夏衍，「『左聯』成立前後」，同註三，第三八——三九頁。

註　八：「長念文苑戰旗紅」，同註三，第七四——七五頁。

註　九：《日記》，全集第十四卷，第七九二頁。

註一〇：徐恩增《我和共產黨鬥爭的回憶》，民國四十二年出版，複印本，第一四頁。

註一一：《二心集》，全集第四卷，第二八五——二八八頁。

註一二：《日記》，全集第十四卷，第八一〇頁，及註六。

註一三：許壽裳《亡友魯迅印象記》，北京：人民文學出版社，一九五三年，第七七——七八頁。

註一四：《回憶魯迅資料輯錄》，上海教育出版社，一九八〇第一版，第一一七——一一八頁；第二〇六頁。

註一五：《書信》，全集第十二卷，第六九頁。

註一六：梁實秋「憶新月」，《關於魯迅》，臺北：愛眉文藝出版社，民國五十九年初版，一四三——一五四頁；同作者，《偏見集》，臺北：大林出版社，民國六十六重印版，收有主要有關文字，如「文學的嚴重性」、「論魯迅先生的『硬譯』」、「所謂『文藝政策』者」等。魯迅的代表作品有「新月社批評家的任務」、「『硬譯』與『文學的階級性』」等；前者見《三閑集》，後者見《二心集》，均在全集第四卷。

註一七：《三閑集》序言，全集第四卷，第六頁。

註一八：《譯文序跋集》，全集第十卷，第二九一頁。

註一九：同註一八：第二九五頁。

註二〇：林非、劉再復合著《魯迅傳》，中國社會科學出版社，一九八一年第一版，第二二八——二二九頁。

註二一：「『硬譯』與『文學的階級性』」，《二心集》，全集第四卷，第二〇九頁。

註二二：鄭學稼《魯迅正傳》，一九一——九五頁。該書的「思想的武裝」一章，列引魯迅前後各種譯作，並有解說，甚具參考價值。

註二三：《回憶魯迅資料輯錄》，第八二頁。

註二四：同註二三。

註二五：鄭學稼《中共興亡史》第二卷㈡，第一〇〇六——一〇〇七頁。

註二六：《回憶魯迅資料輯錄》，第九九頁。

第五章　「左聯」的成立與文藝論戰

第一節　「左聯成立大會」

一九三〇（民國十九）年三月二日（星期日）下午二時，「左翼作家聯盟」成立大會在上海竇樂安路中華藝術大學的一間教室中秘密召開。

其所以選擇那學校，因爲它是中共「黨辦的規模不大的學校，但爲了公開合法，經陳望道先生的同意，由他擔任了校長。學生幾乎都是進步的青年，是一些大革命後聚集在上海的進步青年」。（註一）

爲了保密與安全，三月一日下午，潘漢年和匪北區委的一位負責人，找到夏衍（沈端先），一同去看會場情況；於是連同戴平萬，一行四人同往。夏衍說：「從北四川路與竇安樂路的交界，到藝大二樓的進口處，直到全校的房間，都仔細作了視察。有那幾個門可以出口，有沒有後門，經過後門可以從那條路出去，都作了週密的檢查。後來潘漢年對我說，這次會籌備得很久，到會的人又多，國民黨反動派方面可能已經得到了些消息，因此必須特別謹慎。我們已經準備了糾察隊和保衛人員。他對我說：『你可以事先和馮雪峰、柔石講明，萬一有緊急狀況發生，讓他們陪著魯迅從後門撤退。在會場中我們佈置了四個身强力壯的工人糾察隊員，他們會一直保護魯迅先生的。』

同時他又告訴我，在會場內外，從北四川路底到竇安樂路，到中華藝大門口，安排了大約二十個糾察隊員，只要我們警惕可疑人物，不粗心大意，那麼，會議的安全是可以保證的。

因此，可以估計，到會的人除正式出席會議的四五十人，還有若干藝術大學的師生參加。這些人絕大多數是共產黨員和青年團員，他們是從他們黨小組、團組織或者從親密朋友口中知道這次大會召開，而且知道魯迅要在會上講話，得到了門口檢查人的同意而進入會場的。」（註二）

當年恭逢其盛的「藝大」學生楊纖如回憶說，其所以能夠參加大會，是因爲「中華藝大的支部書記袁德裕」說：「這個會因爲有魯迅等一大批左翼作家參加，同學一定要作好保衛工作，特意把會址設在樓下文學科的大教室裏。這樣，萬一發生問題，疏散也方便些。」（註三）

楊並且說：「所謂大教室，也只是就那時的概念而言。我記得到會的人數不過四五十人左右，已經把教室佔了大半……。創造、太陽兩社的作家我能認出不少，一般進步作家有那些人出席，我已想不起了，只記得爲數很少。魯迅我是見過兩次的，……，郁達夫那天似乎沒有到場。至於茅盾，似乎也沒有出席……。會開得時間不長……。參加成立大會以後，我也就是盟員了。我被指定組織上海藝大左聯小組。」

從楊纖如的話中，引出兩個考據問題。一個比較次要的是出席人數。

夏衍說：「至於出席那天大會的人數，也有種種說法。最少的說有三、四十人，最多的說五、六十人或五、六十人以上。我是主張後者的。因爲這個會的禮堂，可以容納四十至五十人。開會的那天幾乎坐滿了，甚至主席臺旁邊還有人站著。」（註四）參照楊纖如所說「四五十人佔了教室大半，或許五、六十人以上是對的。

比較重要的問題是，誰出席了那次大會，而此事至今未有定論，由於當年爲了保密，連大會中的報告與演說都沒有文字記錄；自然不會留下一份他人可以按圖索驥的名單。外界所有的，是一份政府調查機構的檔案，內列四十八人。（註五）但因它是第二手資料，所列姓名有筆劃之誤，音近之訛，有未出席者列名其中，當然還有已出席者未列名字。

夏衍回憶說：「一九三一年二月七日犧牲的五烈士之一的李偉森（即李求實），原是上海青年團的負責人。……他是（左聯）發起人，也出席了會議，但沒有發表他的名字。因爲發表了對他的安全有影響。出席大會的還有許多人，是從事黨的工作的，不便於公布名字，如潘漢華同志、龐大恩同志（黨報《紅旗》的負責人……），童長榮同志等。……解放後我們從國民黨檔案中又找到了一個所謂出席『左聯』成立大會的名單，這個名單顯然更靠不住。……因爲名單中有郭沫若，而郭老當時正在日本，不在國內。」（註六）

總之，列名但未出席大會的重要人物中有郁達夫和蔣光慈；後者因病，前者「在家看了一天的家」。（註七）到如今當年參加者凋零迨盡，這問題不了自了。

「開會時，依程序先推魯迅、沈端先（夏衍）、錢杏邨三人爲主席團，然後由馮乃超報告籌備經過，鄭伯奇對『左聯』綱領作了說明，接著由中國自由運動大同盟代表潘漠華同志致祝詞，魯迅、彭康、田漢、華漢（陽翰笙）等相繼發表演說。大會推定了沈端先、馮乃超、錢杏邨、魯迅、田漢、鄭伯奇、洪靈菲七人爲執行委員，周全平、蔣光慈二人爲候補執行委員……。大會通過了『左聯』綱領和行動綱領要點，通過了成立『馬克思主義文藝理論研究會』、『國際文化研究會』、『文藝大眾化研究會』等機構，創刊聯盟機關雜誌《世界文化》，通過了與各革命團體發生密切關係、參加工農教育、組織自由大同盟分會、與國際左翼文藝團體建立聯繫等提案。

這個大會是在白色恐怖極端嚴重的情況下秘密召開的。由於時間限制，還有幾位預定發言的人沒有來得及講話，到傍晚就宣布散會了。魯迅在大會上的講演，……也是三五天後，由馮雪峰根據回憶記錄下來，寫成草稿，並把魯迅在會場上沒有講到而經常私下對我講的一些話補在裏面，最後經魯迅親自審閱修改而定稿的。」（註八）

對於「左聯」幫助甚大的三位「外國同志」：史沫特萊，日本《朝日新聞》駐上海特派員尾崎秀實，和日本聯合通訊駐華記者山上正義。他們把「左聯」成立情況、綱領、名單，以及以後許多工作——特別是柔石等五烈士犧牲的報導和「左聯」告國際進步作家書等文件——傳向國外。（註九）可想而知，這三位都與共產國際有關，是到中國來推動革命的。山下還曾將魯迅的《阿Q正傳》譯爲日文。至於向外國發出的名單何以中共日後未加引用，原因未詳。

「『左聯』成立後不久，就在先施公司附近的貴州路建立了一個秘密機關……。但是由於缺乏經費、資料，再加上那時把『左聯』的主要工作集中在飛行集會、散傳單、貼標語等事情上面，上述的馬克思主義文藝理論研究會等等也都沒有正式形成組織，而純由個人進行工作。」（註一〇）何爲「飛行集會」將在第七章中簡述。

「左聯」名爲作家組織，卻又走上街頭去做群眾運動，是令魯迅不滿的原因之一。他不能也無意去干涉中共黨團的工作，但將有「赤膊上陣」一類的暗諷。

第二節　「左聯綱領」與魯迅的「意見」

「左聯」有兩個綱領：一是「理論綱領」，一是「行動綱領」。夏衍說「這兩個文件是在一九三〇年一月下旬基本上定稿的。……擬好以後，籌備小組決定由我與馮乃超拿去徵求魯迅的意見，希望得到他的批准。……魯迅很仔細地同時也是很吃力地閱讀了那文字簡直像外文翻譯過來的綱領，後來慢慢地說：『我沒意見，同意這個綱領。』又說：『反正這種性質的文章我是不會做的。』」（註一一）以下簡錄「理論綱領」的片斷，以爲樣本。

「我們的藝術不能不呈獻給『勝利不然就死』的血腥的鬥爭……。

藝術如果以人類之悲喜哀樂為內容，我們的藝術不能不以無產階級在這黑暗的階級社會中『中世紀』裏面所感覺的感情為內容。因此，我們的藝術是反封建階級的，反資產階級的，又反對『穩固社會地位』的小資產階級的傾向。我們不能不援助而且從事無產階級藝術的產生……。我們對現實社會的態度不能不支持世界無產階級的解放運動，向國際反無產階級的反動勢力鬥爭。」（註一二）

就文藝理論的角度來看，這綱領只是一篇共產口號集錦，至於所謂「行動綱領」，更為簡單，其要點如下：

「一、我們文學運動的目的，在求新興階級的解放。二、反對一切我們的運動的壓迫。同時決定了主要的工作方針，是：㈠吸收國外新興文學的經驗，及擴大我們的運動，要建立種種研究的組織。㈡幫助新作家之文學的訓練，及提拔工農作家。㈢確立馬克思主義的藝術理論及批評理論。㈣出版機關雜誌及叢書小叢書等。㈤從事產生新興階級文學作品。」（註一三）

當時簡短而事後增潤的魯迅講詞，以「對於左翼作家聯盟的意見」為題，最初發表在該年四月一日的《萌芽月刊》一卷四期上。它首先强調：

「我以為在現在，『左翼』作家是很容易成為『右翼』作家的。為什麼呢？第一，倘若不和實際的社會鬥爭相接觸，單關在玻璃窗內做文章，研究問題，那是無論怎樣的激烈，『左』，都是容易辦到的；然而一碰到實際，便立刻要撞碎了。……並且在現在，不帶點廣義的社會主義的思想的作家或藝術家，……是差不多沒有了，除非墨索里尼，……（當然，這樣的作家，也還不能說完全沒有，例如中國的新月派諸文學家，以及所說的墨索里尼所寵愛的鄧南遮便是。）第二，倘不明白革命的實際情形，也容易變成『右翼』。革命是痛苦，其中也必然也混有污穢和血，決不如詩人所想像的那般有趣，……革命尤其是現實的事，需要各種卑賤的，麻煩的工作，決不如詩人所想像的那麼浪漫；革命當然有破壞，然而更需要建設，破壞是痛快的，但建設卻是麻煩的事。……聽說俄國的詩人葉遂寧，當初也非常歡迎十月革命，當時他叫道：『萬歲，天上和地上的革命！』又說：『我是一個布爾塞維克了！』然而一到革命後，……終於失望，頹廢。葉遂寧後來是自殺了的。……又如畢力涅克和愛倫堡，也都是例子。

「還有，以為詩人或文學家高於一切人，他的工作比一切工作都高貴，也是不正確的觀念。舉例說，從前海涅以為詩人最高貴，而上帝最公平，詩人死後便到上帝那裡去，圍著上帝坐著，上帝請他吃糖果。在現在，上帝請吃糖果的事，是當然無人相信的了，但以為詩人或文學家，現在為勞動大眾革命，將來革命成功，勞動者一定從豐報酬，特別優待，請他坐特等車，吃特等飯，……這也是不正確的；因為實際上決不會有這種事，恐怕那時比現在還要苦，……俄國革命後一二年的情形便是例子。如果不明白這情形，也容易變成『右翼』。事實上，勞動者大眾，只要不是梁實秋所說『有出息』者，也決不會特別看重知識階級者的。」接下去，他談到幾點「注意」事項：

「第一，對於舊社會和舊勢力的鬥爭，必須堅決，持久不斷，而且注重實力。舊社會的根底原是非常堅固的，……並且還有它使新勢力妥協的好辦法，……在中國也有過許多新的運動了，卻每次都是新的敵不過舊的，那原因大抵是新的一面沒有堅決的廣大的目的，要求很小，容易滿足。譬如白話文運動，當初舊社會是死力抵抗的，但不久便容許白話文的存在，給它一點可憐的地位，在報紙的角頭等地方可以看見白話寫的文章了，這是因爲在舊社會看來，新的東西並沒有什麼，並不可怕，所以就讓它存在，……又如一二年來的無產文學運動，也差不多一樣，舊社會也容許無產文學，因爲無產文學並不厲害，反而他們也來弄無產文學，拿去做裝飾，……而無產文學者呢，他已經在文壇上有個小地位，稿子已經賣得出去了，不必再鬥爭，批評家也唱著凱旋歌：『無產階級文學勝利！』但除了個人的勝利，即以無產文學而論，究竟勝利了多少？況且無產文學，是無產階級解放鬥爭的一翼，它跟著無產階級的社會的勢力的成長而成長，在無產階級的社會地位很低的時候，無產階級的文壇地位反而很高，這只是證明無產文學者離開了無產階級，回到舊社會去罷了。

「第二，我以爲戰線應該擴大。在前年和去年，文學上的戰爭是有的，但那範圍實在也太小，一切舊文學舊思想都不爲新派的人所注意，反而弄成在一角裏新文學者和新文學者的鬥爭，舊派的人倒能夠閑舒地在旁邊觀戰。

「第三，我們應當造出大群的新的戰士。因爲現在人手實在太少了，譬如我們有好幾種雜誌，單行本的書也出版得不少，但做文章的總同是這幾個人，所以內容就不能不單薄。一個人做事不專，這樣弄一點，那樣弄一點，既要翻譯，又要做小說，還要做批評，並且也要做詩，這怎麼弄得好呢？如果人多了，……對敵人應戰，也軍勢雄厚，容易克服。關於這點，我可帶便地說一件事。前年創造社和太陽社向我進攻的時候，那力量實在單薄，到後來連我都覺得有點無聊，沒有意思反攻了，因爲我後來看出了敵軍在演『空城計』。那時候我的敵軍是專事吹擂，不務於招兵練將的；攻擊我的文章當然很多，然而一看就知道都是化名，罵來罵去都是同樣幾句話。我那時就等待能有一個能操馬克思主義批評的槍法的人來狙擊我的，然而他終於沒有出現。在我倒是一向就注意新的青年戰士底養成的，曾經弄過好幾個文學團體，不過效果也很小。但我們今後卻必須注意這點。

「我們急於要造出大群的新的戰士，但同時，在文學戰線上的人還要『韌』。所謂韌，就是不要像前清做八股文的『敲門磚』的辦法。……猶之用一塊磚敲門，門一敲開，磚就可拋棄了，……這種辦法，直到現在，也還有許多人在使用，我們常常看見有些人出了一二本詩集或小說集以後，他們便永遠不見了，到那裡去了呢？是因爲出了一本或二本書，有了一點小名或大名，得到了教授或別的什麼位置，功成名遂，不必再寫詩與小說了，所以永遠不見了。這樣，所以在中國無論文學或科學都沒有東西，然而在我們是需有東西的，因爲這於我們有用。（盧那查爾斯基是甚至主張保存俄國的農民美術，因爲可以造出來賣給外國人，在經濟上有幫助。我以爲如果我們文學或科學上有東西拿得出去給別人，則甚至於脫離帝國主義的政治運動上也有幫助。）但要在文化上有成績，則非韌不可。最後，我以爲聯合戰線是以有共同目的爲必要條件的。我記得好像曾聽到這樣一句話：『反動派且已經有聯合戰線了，而我們還沒有團結起來！』其實他們也並未有有意的聯合戰線，只因爲他們的目的相同，所以行動就一致，……而我們戰線不能統一，就證明我們的目的不能一致，或者爲了小團體，或者還其實只爲了個人，如果目的都在工農大衆，那當然戰線也就統一了。」（註一四）

魯迅的「意見」，至此結束。他的特別提起「新月社」和「墨索里尼所寵愛的鄧南遮」（影射吳稚暉）可以說是他的生活習慣。他强調做事要專，是他日後不滿「左聯」作家要做街頭運動而又無文學作品的契機。他批評「圍剿」人士「專事吹擂……，駡來駡去都是幾句話」，以及有些人「功成名遂」，立刻抽身；既是譏諷，也是告誡。

他自承生平看事太細，以致多疑。日後與「左聯」共幹齟齬時，就表示參加這次合作原是爲了顧全大局，自我犧牲。因此在這篇意見中，流露出一種不甚樂觀的期盼。至於他說中共作家中竟無「能操馬克思主義批評的槍法的人」，既是知己知彼的老實話，也表示他於此道並非門外漢。

第三節 「左聯」的文藝論戰

「左聯」自成立至解散，先後六年。它的業績，中共書刊上一律稱之爲豐碩。因而要從它的領導人物的回憶中，纔能看出它的敗因。在外界人士眼光中，它可以說是微小，因爲種種組織與刊物，大多旋起旋滅；而且如果沒有「西安事變」，一切皆成畫餅。但若就它當時的力圖獨佔文壇，以及用文藝吸引若干青年投向中共，它有它的作用。本文限於主題和篇幅，僅只略舉它的主要文藝論戰。

攻擊「民族主義文學」。民國十九年（一九三〇）六月一日，亦即「左聯」成立後三個月，王平陵、黃震遐、范爭波、葉秋原等在上海發表「中國民族主義文藝運動宣言」，提倡民族文藝。在他們所辦的《文藝月刊》創刊號中，曾以全社同仁共同發表的文章，勸告中共作家說：「你們所追求的，始終是海上的蓬萊，可望而不可即；而無量數民眾所拜賜的，卻都是現實的痛苦」。這號召使不少左翼作家轉向過來，於是中共派人暗殺范爭波，范氏受傷，使運動也受影響。（註一五）針對這運動，瞿秋白曾撰「屠夫文學」（原載一九三一年八月廿日《文學導報》．卷三期）；魯迅也寫了「『民族主義文學』的任務和命運」（後來收入《二心集》），並在為美國《新群眾》所寫的「黑暗中國的文藝界的現狀」中，潑罵提倡民族主義文學人士為「流氓、偵探、走狗、劊子手」。他的理由是，范爭波是警備司令部的偵緝隊長。但他似乎忘了自己身邊也正圍繞著許多的長。

攻擊「自由文藝」和「第三種人」。民國二十年（一九三一）十二月，胡秋原自辦《文化評論》，提出了「自由知識階級」、「文藝自由」、及「自由的馬克思主義」等觀點。（註一六）胡氏在該刊創刊號中，發表了「阿狗文藝論」，認為「蘇俄的無產者文學與意大利棒喝主義文學」都屬於「要求功利的藝術」，且有「盲動主義的急進與敗北，所謂普羅文學盛極而衰」等語。（註一七）「左聯」對這些話不能容忍，引起論戰。後來又有蘇汶（戴杜衡）撰文支持並不相識的胡氏，文中提到在相距「不可以道里計」的「馬克思主義」與「馬克思列寧主義」之間，最吃苦的「卻是第

三種人，便是所謂作家之群」。（註一八）

簡而言之，此役動員了瞿秋白，馮雪峰，錢杏邨、陳望道、周揚、丁玲等人。魯迅自然參戰，他的代表作是「論『第三種人』」；他除用慣常的曲折筆法爲「左翼」辯護外，還說：「左翼作家並不是從天上掉下來的神兵，或外國殺進來的仇敵，他不但要那同走幾步的『同路人』，還要招致那站在路邊的看客也一同前進。」（註一九）將此文與魯迅的其他類似之作相比，它頗似李初梨所謂的「蘇秦的游說」。

經過這次反復糾纏的論戰，胡秋原感慨而言：「這批左的筆桿爲毛澤東打天下之力，遠過於毛澤東的槍桿。」。（註二〇）

攻擊林語堂的「幽默」和小品文。民國廿一年（一九三二）九月，林氏創辦《論語》半月刊，提倡幽默小品，該刊曾列舉「論語社同人戒條」十項，其中有「不反革命」、「不破口罵人」等。「左聯」隨即加以攻擊，魯迅也撰「小品文危機」一文，强調小品文「必須是匕首，是投鎗，能和讀者一同殺出一條血路的東西」。（註二一）

民國廿三年（一九三四）四月五日，林氏主編的《人間世》半月刊問世，發刊詞中强調「以自我爲中心，以閒適爲格調」。魯迅以崇巽爲筆名，撰「小品文的生機」嘲弄「被諡爲『幽默大師』」的林氏。（註二二）

民國廿四年（一九三五）九月，林氏又出版《宇宙風》半月刊。魯迅隨撰「雜談小品文」，認爲講「性靈」的人「有國時爲高人，沒國時還不失爲逸士，逸士也得有資格，首先即在『超然』，『士』所以超庸奴，『逸』所以超責任。……不過『高人兼逸士夢』恐怕也不長久。近一年來就露了大破綻，自以爲高一點的，已經滿紙空言，甚至胡說八道，下流的卻成爲打諢，和猥鄙丑角，並無不同。主意只在挖公子哥兒的跳舞之資，和舞女們爭生意。」（註二三）

林氏在北京時期，就和魯迅交誼深厚，也幫他與陳源等人士論戰。魯迅去廈門大學任教，是林氏一力促成。到上海後，又有通家之好。魯迅之筆伐口誅。可謂大義滅友。只是《宇宙風》在魯迅去世後仍然存在，林氏仍然無改其幽默。

對一切的論戰，中共宣稱無役不勝。那論證很單純，如若不勝，焉有今日。

【附註】

註　一：夏衍「『左聯成立前後』，《左聯回憶錄》（上），第四三頁。

註　二：同註一，第四八頁。

註　三：「左翼作家在上海藝大」，同註一，第一〇四——一〇五頁。

註　四：同註一，第四六——四七頁。

註　五：司馬長風《中國新文學史》中卷，香港：昭明出版社，一九七六年初版，第三二——三三頁。

註　六：同註一，第四七頁。

註　七：王宏志「誰出席了『左聯』的成立大會」，《共黨問題研究》第十七卷，第三期（民國八十年三月），第四九頁。

註　八：同註一，第四三——四四頁。

註　九：同註一，第四四——四六頁。

註一〇：同註一，第四四頁。

註一一：同註一，第四二頁。

註一二：《中國現代文學史參考資料》第一卷上冊，第二八一——二八二頁。

註一三：同註一二，第二八一頁。

註一四：《二心集》，全集第四卷。第二三三——二三八頁。

註一五：劉心皇《現代中國文學史話》，臺北：正中書局，民國六十年臺初版，第五一二——五一五頁。

註一六：同註一五，第五四二——五五六頁。

註一七：胡秋原《少作收殘集》上卷，臺北：自由世界出版社，民國四十八年初版，第一一一——一一三頁。

註一八：同註一七，第一八九——一九七頁。

註一九：《南腔北調集》，全集第四卷，第四三九頁。

註二〇：《現代中國文學史話》，第五五三頁。

註二一：同註一九，第五七六——五七七頁。

註二二：《花邊文學》，全集第五卷，第四六四頁。

註二三：《且介亭雜文二集》，全集第六卷，第四一八頁。

第六章　「左聯」的新任務

第一節　新任務的內容

一九三二（民國廿一）年一月，「左聯」刊物《北斗》（丁玲主編）月刊二卷一期上，登載了錢杏邨的「一九三一年中國文壇的回顧」，其中摘引了「左聯執行委員會」一九三一年十一月所作的決議——「中國無產階級革命文學的新任務」。（註一）現在摘引其中三段於下：

「㈡新的任務：一、在文學的領域內，加緊反帝主義的工作；加緊反對帝國主義戰爭，特別是進攻蘇聯與瓜分中國的帝國主義戰爭的工作。二、在文學的領域內，加緊反對豪紳地主資產階級軍閥國民黨的政權，反對軍閥混戰，特別是進攻蘇維紅軍的戰爭（指剿共）。三、在文學的領域內，宣傳蘇維埃革命以及煽動與組織為反蔣介石政權的一切鬥爭。四、組織工農兵通信員運動，壁報運動，及其他的工人農民的文化組織；並由此促進無產階級出身的作家與指導者的產生，擴大無產階級革命文學在工農大眾間的影響。五、參加蘇維埃政權（指中共「蘇區」）下面及非蘇維埃區域內一切勞苦大眾的文化教育工作，幫助工農勞苦大眾日常的經濟的政治的鬥爭之文學上的宣傳與鼓勵。六、反對民族主義，法西斯主義，取消派，以及一切反革命的思想和文學；反對統治階級文化上的恐怖手段與欺騙政策。

㈢大眾化問題的意義：……文學大眾化問題，在目前意義的重大，尙不僅在它包括了中國無產階級革命文學目前首重的一切任務，如工農兵通信員運動等等，而尤在此問題之解決實爲完成一切新任務所必要的道路。……只有通過大眾化的路線，即實現了運動與組織的大眾化，作品、批評以及其他一切的大眾化，才能完成我們當前反帝反國民黨的蘇維埃革命的任務，才能創造出眞正的中國無產階級革命文學。

㈣創作問題——題材、方法、及形式：第一，作家必須注意中國現實社會生活中廣大的題材，尤其是那些最能完成目前新任務的題材。︹以下根據「新的任務」指出六項重要的應該抓取的題材，以及詳細的節目，從略︺……第二，在作法上，作家必須從無產階級的觀點，從無產階級的世界觀，來觀察，來描寫。作家必須成爲一個唯物的辯證法論者。中國無產階級革命文學的作家、指導者及批評家，必須現在就開始在這方面的艱苦勤勞的學習。必須研究馬克思列寧主義，研究一切偉大的文學遺產，研究蘇聯及其他國家的無產階級的文學作品及理論和批評。……第三，在形式方面，作品的文字組織，必須簡明易解，必須用工人農民所聽得懂以及他們接近的語言文字；在必要時，容許使用方言。……當然，我們並不以學得這個簡單的表現爲止境，我們更有創造新的語言表現法的使命，……其次，作品的體裁，也以簡單明瞭，容易爲工農大眾所接受爲原則。現在我們必須研究，並且批判地採用中國本有的大眾文學、西歐的報告文學、宣傳藝術、牆頭小說、大眾朗誦詩等體裁……。

㈥組織和紀律：中國左翼作家聯盟，無疑地是中國無產階級革命文學運動的幹部，是有一定而且一致的政治觀點的行動鬥爭的團體；而不是作家的自由組合。……要加强左翼作家聯盟的領導，同時必須整飭紀律嚴密組織。在左翼內不許有違犯綱領的行動，不許有不執行決議的行動，不許有小集團意識或傾向的存在，不許有超組織或怠工的行動。但是，紀律的問題，一面就是自我批判和同志教育的問題。現在必須將已經開始的一切方向的自我批判的鬥爭，以及兩條戰線上的鬥爭，毫不放鬆的繼續執行。」

其所以引述第六條，因爲它是專爲「左聯」中少數非黨員人士設下的戒律。身爲「執行委員」之一的魯迅，也不能制法犯法。

從「新任務」中間再三强調的「大眾化」，就發展成爲三個當時並未轟動，但餘波盪漾數十年的運動——「文藝大眾化」，「文字革命」，「語言革命」。這些運動，有它們內在的相互關連。由於所謂的大眾，是指文化水準較低——包括略識文字乃至文盲——的農民、工人，以及士兵，文學作品的詞句就必須淺近通俗。由於當時推行那運動的人士肯定漢字太難，就進一步需要「文字革命」，最後則將漢語拼音化，完全廢除漢字，實現「語言革命」。本文現以魯迅的文章爲脈絡，簡述這些運動的概況。

第二節 文藝大眾化

「左聯」一成立，就以「文藝大眾化」爲口號。該年（一九三〇）三、四兩月所出版的《大眾文藝》第二卷三、四期，就登載了魯迅、郭沫若、馮乃超、沈端先等的文章。魯迅的一篇，題目爲「文藝的大眾化」它說：

「文藝本應該並非只有少數的優秀者才能夠鑒賞，而是只有少數的先天的低能者所不能鑒賞的東西。……但讀者也應該有相當的程度。首先是識字，其次是有普通的大體的知識，而思想和情感，也須大抵達到相當的水平。否則，和文藝即不能發生關係。若文藝設法俯就，就很容易流爲迎合大眾，媚悅大眾。迎合和媚悅，是不會於大眾有益的。……所以在現下教育不平等的社會裏，仍當有種種難易不同的文藝，以應各種程度不同的讀者之需。……倘若此刻就要全部大眾化，只是空談。大多數人不識字，目下通行的白話文，也非大眾能懂的文章；言語又不統一，若用方言，許多字是寫不出的，即使用別字代出，也只爲一處地方人所懂，閱讀的範圍反而收小了。總之，多作或一（原文如此）程度的大眾化的文藝，這固然是現今的急務。若是大規模的設施，就必須政治之力的幫助，一條腿是走不成路的，許多動聽的話，不過是文人的聊以自慰罷了。」（註二）

他的話是對的。文藝不能「俯就、媚悅」大眾，那樣做只是愚民手段，何況還有文盲眾多，方言不一等根本問題。儘管他說了「必須政治之力的幫助」而寄望於未來，但認爲此時高談「文藝大眾化」只是自我安慰。

這一時期的「大眾化」運動，並未造成轟動。但「左聯」中人仍在繼續努力，尤其當瞿秋白於民國二十年（一九三一）下半年抵滬加入「左聯」後，更爲積急。因爲早在民國十七年，瞿就參與了莫斯科「中國問題研究所」的工作，曾與他人共訂了「拉丁化中國字母草案」，以後更與吳玉章擬訂了「北拉」——「北方話拉丁化新字母」，在海參威一帶發起華工學習。是以瞿在這方面可謂左翼中的權威。在「左聯」，他與魯迅成爲好友。魯迅後來對這問題的態度大有「進步」，中共人士認爲「當然與瞿秋白的大力提倡和深入研究也是分不開的」。（註三）

附帶一提，魯迅在日本時，曾與周作人、錢玄同、許壽裳等，在國學耆宿章太炎的親炙下學過《說文解字》和《爾雅義疏》。在他的先後《日記》中，始終留有痕跡——例如「塊」字他總寫它的本字「凷」。雖然他在「關於太炎先生二三事」中，自謙對於章氏「所講的《說文解字》，卻一句也記不得了」，（註四）但他對漢字的根源和結構，實際頗有心得。

魯迅對這問題改變初衷的作品，首先有「答曹聚仁先生信」（一九三四年八月二日寫成）。（註五）他說：

「關於大眾語的問題，提出得眞是長久了，我是沒有研究的，所以一向沒有開過口。……現在寫一點我的簡單意見在這裡：

一、漢字和大眾是勢不兩立的。

二、所以，要推行大眾語文，必須用羅馬字拼音（即拉丁化，現在有人分爲兩件事，我不懂是怎麼一回事），而且要分爲多少區，每區又分爲小區（譬如紹興一個地方，至少分爲四小區），寫作之初，純用其地的方言，但是，人們是要前進的，那時原有方言一定不夠，就只好採用白話、歐字、甚而至於語法。但，在交通繁盛，語言混雜的地方，又有一種語文，是比較普通的東西，它已經採用著新字匯，我想，這就是『大眾語』的雛形，它的字匯和語法，即可以輸進窮鄉僻壤中去。中國人是無論如何，在將來必有非通幾種中國語不可的運命的，這事情，由教育與交通，可以辦得到。

三、普及拉丁化，要在大眾自掌教育的時候。現在我們所辦得到的是：（甲）研究拉丁化法；（乙）試用廣東話之類，讀者較多的言語，做出東西來看；（丙）竭力將白話做得淺豁，……但精密的所謂『歐化』語文，仍應支持……。

四、在鄉僻處啓蒙的大眾語，固然應該純用方言，但一面仍然要改進。……所以現在能夠實行的，我以爲是㈠制定羅馬字拼音（趙元任的太繁，用不來的）；㈡做更淺顯的白話文，採用較普通的方言，……至於思想，那不消說，該是『進步』的；㈢仍要支持歐化文法，當作一種後備。

還有一層，是文言的保護者，現在也有打了大眾語的旗子的了，他一方面，是立論極高，使大眾語懸空，做不得；另一方面，借此攻擊他當面的大敵——白話。這一點也須注意的。要不然，我們就會自己繳了自己的械」。

他的建議，除了各地方首先試用方言寫作之外，其他如試驗「漢語拉丁化」，羅馬字的「拼音系統」都將在「大眾自掌教育的時候」實現，但結果不如他的理想。

簡略地說，中共在一九五六（民國四十五）年一月廿八日公佈了「漢字簡化方案」，一九六四（民國五十三）年三月七日又發佈了「簡化字總表」，自承頗有成果，因而在一九七七年十二月又推出「第二次漢字簡化方案（草案）」。但到一九七九年六月，中共「全國人民代表大會會議」與「政治協商會議全國委員會會議」共同通過提案，將「二簡草案」停止試用。至於「漢語拉丁化」，雖然在一九五八（民國四十七）年就公佈施行了一套「漢語拼音系統」，但到一九八六（民國七十五）年一月，中共「語言文字工作會議」正式宣佈它並非取代漢字的拼音文字，僅作注音之用。（註六）

針對魯迅所說的「漢字和大眾勢不兩立」，大陸研究人士有「漢語不滅，漢字永存」的警語，那是經過數十年實驗後的心得。（註七）

在答曹聚仁信之後不久，魯迅以「華圉」為筆名寫了罕見的長文「門外文談」（一九三四年八至九月發表）。除掉「開頭」和「煞尾」，主要內容分為十項。現在引述其中的分段標題，並加簡要解釋：「二、字是什麼人造的？三、字是怎麼來的？」這兩段係就歷史及文學資料說明文字的發展。「四、寫字就是畫畫」，說明漢字由象形，以至會意、諧聲等的發展。但到了現在，形既不象，聲亦不諧，因此後人對古人的這份「重大的遺產」，感謝之心「卻只好躊躕一下」。「五、古時候言文一致麼？」答案是「一向並不一致」。「六、於是文章成為奇貨了」，强調中國的文字和文章本來都很艱難，但士大夫卻故意使它更難，以便奇貨自居。「七、不識字的作家」，認為「人類是在未有文字之前，就有了創作的，可惜沒有人記下」；詩經「國風」多無名氏之作，經過文人潤色，失去許多原來面目，因此要「將文字交給一切人」。「八、怎麼交代？」答案是採用「北方話的拉丁化文字」。「九、專化呢，普遍化呢？」他的意見是，起先由各地寫它的土話，一面幫助，一面順應實際發展，以待將來的大眾語出現。「十、不必恐慌」。重申俗文學原本極具意義，但「一向受著難文字、難文章的封鎖，和現代思潮隔絕。所以，倘要中國的文化一同向上，就必須提倡大眾語，大眾文，而且書法更必須拉丁化」。「十一、大眾並不如讀書人所想像的愚蠢」，意思說大眾必能學會「拉丁化」的「大眾語文」。同時知識分子也「只是大眾中的一個人」，必須有此自覺，「才可以做大眾的事業」。（註八）

在這篇文章的一至四節中，魯迅運用了他對中國經典和《說文解字》，以及中外語文的知識，推論「拉丁化大眾語文」之必能實現。但是，他在贊成起初「各地寫它的土話」之外，也認爲「將來如果眞有一種到處通行的大眾語，那主力恐怕還是北方話罷」。

回首前塵，早在民國二年（一九一三），魯迅曾是「讀音統一會」的會員。他與許壽裳等人，主要根據老師章太炎依照中國古代文字簡省形體和漢語聲韻系統而擬訂的標音符號，創立了沿用至今的「注音符號」。（註九）但二十多年之後，他在這方面也革了自己的命。

此外，魯迅又以筆名「仲度」發表「漢字和拉丁化」（一九三四年八月廿三日作），它說：「反對大眾語文的人，對主張者得意的命令道：『拿出貨色來看！』一面也有這樣的老實人，毫不問他是誠意，還是尋開心，立刻拼命的來做標本」。接著，該文舉了少數例子，證明當時的「標本」土話文並不難懂，最後則自問自答地說：「不錯，漢字是古代傳下來的寶貝，但我們的祖先，比漢字還要古，所以我們更是古代傳下來的寶貝。爲漢字而犧牲我們，還是爲我們而犧牲漢字呢？這是只要還沒有喪心病狂的人，都能夠馬上回答的」。（註一〇）

同年九月廿四日，魯迅再作「中國語文的新生」，響應華圉（他自己）的長文，說：「至於拉丁化的較詳的意見，我是大體和《自由談》連載的華圉作『門外文談』相近的」。然後表示，這工作雖然困難，但愈困難愈要作。「改革，是向來沒有一帆風順的，冷笑家的贊成，是在見了成效之後，如果不信，可看提倡白話文的當時。」（註一一）

同年十二月九日，他又撰「關於新文字——答問」，强調說：「方塊字眞是愚民政策的利器」，「漢字也是中國勞苦大眾身上的一個結核，病菌都潛伏在裏面，倘不首先除去它，結果只有自己死」。然後則筆鋒一轉，攻擊政府，說：「在瀰漫著白色恐怖的地方，這新文字是一定要受摧殘的」。結論是，「新文字……才是勞苦大眾自己的東西，首先的唯一的活路」。（註一二）

這次的運動引起了部分文化界人士的反應，於是社會上也有若干種方言拼音方案出現。因有這種反應，魯迅在同年十二月廿三日撰寫「論新文字」一文，以頗有把握的口吻說：「漢字拉丁化的方法一出世，方塊字系的簡筆字和注音字母，都賽下去了，還在競爭的只有羅馬字拼音。這拼法的保守者用來打擊拉丁化字的最大理由，是說它方法太簡單，有許多字眼不容易分別」。接著他提出辯護道：「不過組織在句子裏，這疑難就消失了。所以取拉丁化的一兩個字，說它含糊，並不是正當的指摘，主張羅馬字拼音和拉丁化者兩派的爭執，其實並不在精密和粗疏，卻在那由來，也就是目的。羅馬字拼音者是以古來的方塊字爲主，翻成羅馬字，使大家來照這規矩寫，拉丁化者卻以現在的方言爲主，翻成拉丁字，這就是規矩。假使翻一部詩韻來作比賽，後者是賽不過的，然而要寫出活人的口語來，倒輕而易舉。……易舉和難行是改革者的兩大派，同是不滿於現狀，但打破現狀的手段卻大不同，一是革新，一是復古。……拉丁化卻沒有這空談的毛病，說得出就寫得來，它和民眾是有聯繫的，不是研究室或書齋裏的清玩，是街頭巷尾的東西，……倘要大家能夠發表自己的意見，收獲切要的知識，除它以外，確沒有更簡易的文字了」。（註一三）

該文發表在民國二十五年（一九三六）一月十一日的《時事新報》上。其時距魯迅的病逝只有九個多月；至於「左聯」業已如他所說的「潰散」了。自從加入「左聯」，他曾辦過若干刊物，不斷地寫作和翻譯；在「左聯」的歷次文藝運動中，無役不從。更屢次捐助款項。由上舉的例子看來，眞可謂鞠躬盡瘁，死而後已。然而他對「左聯」共幹的作風甚表不滿，齟齬時生。甚或見於公開的文字，頗可動搖「左聯」的基礎。似可如此說，倘若他不在該年十月十九日去世，眞正寫出他曾說要寫的《圍剿集》（註一四），或如他在這年五月廿五日致時玳信中所說的，要將身上拔出來的一大把「冷箭」發表給大家看看，（註一五）則魯迅本人在整個新文學史上的評價勢必不同。至於「左聯」，則當與中共的命運相同。如前所言，要不是「西安事變」使中共的革命「一日千里」，它或許只能留下一個名詞。

「西安事變」，使中能在延安從事擴展。掌握了黨內大權的毛澤東，曾說：在「爲人民解放的鬥爭中」，「有文武兩個戰線」，單憑「手裏拿槍桿子的軍隊」還不夠，「還要有文化的軍隊，這是團結自己，戰勝敵人必不可少的一支軍隊。……在『五四』以來的文化戰線上，文學和藝術是一個重要的有成績的部門，革命的文學藝術運動，在十年內戰時期有了重大的發展」。（註一六）這是對「革命文學」的肯定，也是對「左聯」的嘉許。

對於「左聯」的功過，中共在「文革」以後的評價是：它「標誌看中國革命文學發展的一個新階段。它曾有組織有計劃地致力於馬克思主義文藝理論的宣傳和研究，批判各種錯誤的資產階級文藝思想，提倡革命文學創作，進行文藝大眾化的探討，培養了一批革命文藝工作者，促進了革命文學的發展。它在國民黨統治區內領導革命文學工作者和進步作家，對國民黨的反革命文化『圍剿』進行了英勇頑强的鬥爭，在粉碎這種『圍剿』中起了重大的作用。但由於受到當時黨內『左』傾路線的影響，『左聯』的一些領導人在工作中有過教條主義和宗派主義的傾向……。『左聯』由於受國民黨政府的白色恐怖的摧殘壓迫，也由於領導工作中宗派主義的影響，始終是一個比較狹小的團體。一九三五年底，爲了適應抗日救亡運動的新形勢，『左聯』自行解散。」（註一七）

這段話中所說的成就是否誇張，有歷史可證，也可從本文所引的若干事例，見其端倪。在此不擬贅述。至於「白色恐怖」的摧殘壓迫，也不擬重述中共「文革」前後及其當中的文藝整風，以爲對比。但對於所謂當時中共「黨內『左』傾路線」和「領導工作中宗派主義」等影響，倒要代爲說明——雖然無意爲之辯護。

「左聯」存在期間——從一九三〇年初到一九三五年末，中共中央的領導人先是總書記向忠發。他是貧農出身，當過工人，是當時中共領導人中惟一的「無產者」。在一九二八年七月召開於莫斯科的中共「六大」上，他清算了瞿秋白的「盲動主義」，接任總書記。回上海後，因知識不高，能力薄弱，實權落於李立三、周恩來之手。在一九三一年一月的「六屆四中全會」上，他曾極力攻訐李立三。同年六月，他被捕槍決。在李立三實掌大權時，中共中央曾通過「新的革命高潮與一省或數省的首先勝利」案，繼續在各地進行暴動，均歸失敗。中共歷史上稱之爲「左」傾的「立三路線」。在上述「四中」全會上，他被撤除一切職務，赴俄改造。代他而爲總書記的是王明（陳紹禹）。他曾和周恩來等清算了瞿秋白、李立三的錯誤，在「四中」會上又將羅章龍、何孟雄等排出中央。羅、何等人乃另組「非常委員會」，形成「反四中」勢力。其所以提及「反四中」，因爲魯迅將來爲文慟悼的五位烈士作家——包括柔石，就因參加其中，而被「中央派」告密，結果被捕槍決。

總之，無論陳獨秀的「機會主義」、瞿秋白的「盲動主義」，以及「立三路線」、「王明路線」，都是基於「共產國際」的決議和指導，再在中共中央作成決議而執行的。但一朝失敗，或稱爲「右」傾，或名爲「左」傾，將責任歸於一人，而最正確的就是那後來居上的當權者。就中共而言，未免對自己的「同志」太不公道。

對於魯迅，給予他最高讚譽的人應推毛澤東。他在一九四〇年說：「在『五四』以後，中國產生了完全嶄新的文化生力軍，這就是中國共產黨人所領導的共產主義文化思想，……這支生力軍在社會科學領域和文學藝術領域中，……都有了極大的發展。二十年來，這個文化新軍的鋒芒所向，從思想到形式（文字等），……簡直是所向無敵的。……而魯迅，就是這個文化新軍的最偉大和最英勇的旗手。魯迅是中國文化革命的主將，他不但是偉大的文學家，而且是偉大的思想家和偉大的革命家。魯迅是文化戰線上代表全民族的大多數，向著敵人衝鋒陷陣的最正確、最勇敢、最堅決、最忠實、最熱忱的空前的民族英雄。」（註一八）

毛澤東對於魯迅的愛好讚譽，畢生不改。因爲他自己也寫詩詞，在月旦古今中外人物時，口吻近乎魯迅。甚至在最高階層會議中，他也會評枚乘的「七發」，批曹雪芹的《紅樓》，以及說馬克斯、斯大林也有不是之處。但對魯迅，絕無微詞。（註一九）

毛氏除了喜愛魯迅的作品——尤其「匕首、投槍」式的雜文，更因爲魯迅之鄙薄「空頭文學家」，亦如他的蔑視知識份子。何況魯迅因爲毛是不怕「污穢與血」而能「殺出一條血路」的革命人，最後公開表示願和他——還有斯大林——「同走幾步」。

【附註】

註　一：《中國現代文學史參考資料》第一卷上冊，第二八七——二九一頁。

註　二：許廣平編《集外集拾遺》，全集第七卷，第三四九——三五〇頁。
註　三：劉松綬《中國新文學史初稿》上卷，第二三〇頁。
註　四：《且介亭雜文末編》，全集第六卷，第五四六頁。
註　五：《且介亭雜文》，全集第六卷，第七六——七八頁。
註　六：周行之「臺海兩岸的語言發展」，《分裂國家的文化整合》，臺北：國立政治大學國際關係研究中心，民國七十九年六月，第四九——五四頁。
註　七：《重新認識漢字》，北京光明日報社，一九八八年第一版，第一一四頁。
註　八：《且介亭雜文》，全集第六卷，第八四——一〇三頁。
註　九：國立臺灣師範大學國音學編輯委員會編《國音學》，臺北：正中書局，民國七十一年，第二六——二七頁。
註一〇：《花邊文學》，全集第五卷，第五五五——五五七頁。
註一一：《且介亭雜文》，第一一四——一一五頁。
註一二：同右註，第一六〇——一六一頁。
註一三：《且介亭雜文二集》，全集第六卷，第四四二——四四三頁。
註一四：《三閑集》序言，第五頁。
註一五：《書信》，全集第十三卷，第三八三——三八四頁。
註一六：「延安文藝座談會上的講話」，《毛澤東選集》第三卷，北京：人民出版社，一九六四年版，第八四九——八五〇頁。

註一七：「對於左翼作家聯盟的意見」，《二心集》，第二三七頁，註釋二。

註一八：「新民主主義論」，《毛澤東選集》第二卷，第五二——五三頁。

註一九：《毛澤東思想萬歲》，中共內部刊物，一九六九年八月版。這是「文革」時期類似刊物之一，其中大量資料都不見於先後出刊的五卷《選集》之中。因其評論古今人物的「講話」甚多，不舉篇名和頁數。

第七章 「左聯」的衰退

第一節 「左傾」路線的影響

無論外界如何看「左聯」——認爲它活躍或無能，也無論中共日後如何加以評價。它在成立不久，即已作用有限。當時它的負責人指出，那是「左」傾路線的影響。現在就這一點，簡要加以討論。

夏衍分析說：在國民黨「實行白色恐怖之後，黨內出現了一種性急的、企圖速勝的冒險思想。……同時整個世界的共產主義運動正值一個全盛時期。……各國共產黨，包括美國共產黨在內，都認爲世界無產階級革命就要到來，有些躍躍欲試，……而在莫斯科的第三國際，當時對革命形勢的估計也有點過分樂觀。這時，在我們黨內正是立三、王明路線統治時期。所以，『左聯』的成立以及成立後的一段時間，整個是處於比較『左』的政治空氣當中，政治上思想上左右翼的分化，也很分明，用現在的話來說，是『一刀切』的」；一九三〇年四月底，召開了第一次盟員大會，「表面上是爲了檢查『左聯』成立兩個月的工作，實際是爲了籌備『紅五月』的行動，因爲五月有許多紀念日：五一勞動節，五七、五九國恥紀念日，五卅紀念日等等。所以在這一個月就布置了幾乎每週不斷的飛行集會，貼標語，散傳單……，不管具體情況，規定凡是盟員都必須參加。當然，在這種情況下我們受到了很大的無謂損失，有許多同志被捕。魯迅先生批評我們『赤膊上陣』，主要指的是這一類事情。……『左聯』成立後不到一年時間，由於『左』傾路線的錯誤，經常舉行無準備的飛行集會，以至組織罷工、罷市等不適當的工作，……被捕的人不少，其他各盟也是一樣。」（註一）

罷工、罷市，毋須解釋；至於「飛行集會」，昔日參加者有如下的說明：「在紀念日前一天，凡盟員均接到口頭通知參加飛行集會。……有一次，我們每人帶上一包石灰，按時到……參加集會。見到那一帶已有巡捕房的警察和追捕人的摩托車警戒起來。我……扮作看熱鬧的人……。到了規定的時間，一位飛行集會的總指揮，走到路當中，從懷裏抽出紅旗和傳單，高喊『紀念××節』、『打倒帝國主義』、『打倒國民黨』、『打倒蔣介石』等口號。參加飛行集會的人，馬上擁上去，一邊喊口號一邊將五顏六色的傳單往高空一拋，滿天的傳單，隨風飄下。這時總指揮就趕快抽身撤退。四週參加集會的群眾翻身用石灰撒到追捕人的軍警眼睛裏。」（註二）

另一位參加人士說，所喊的口號，除上述者外，還有「擁護蘇聯、擁護紅軍、擁護蘇維埃」；「遇到具體事件加一些具體口號。如『歡迎羅曼．羅蘭』、『打倒××資本家等等。這個活動也是考驗盟員以及週圍積極分子，準備吸收到『左聯』來的一種方式。這種活動當時看作神聖的，是和敵人針鋒相對的鬥爭方式。雖然是受『左』傾路線影響，但不可否認是一種革命意志的鍛鍊。」（註三）

前曾提及，郁達夫以拒絕參加這種「集會」而脫離「左聯」，蔣光慈因不參加而開除黨籍。魯迅雖然可以豁免，但對左翼作家放下筆桿，赤膊上陣是不滿而又無法阻止的。

就在這大局與細故，外憂與內患的交織下，「左聯」形成了將多兵寡的局面。茅盾（沈雁冰）應史沫特萊之請，寫道：「……就在一九三一年春，左聯的陣容已經非常零落。人數從九十多降到十二。公開的刊物完全沒有了。但因爲動搖分子投機分子的脫退，左聯的內部比較整齊，開始了新階段的工作。那時最先籌備的，是發行（秘密）機關刊物《前哨》，第一期就是被害五作家的紀念號。……機關報從第二期起，改名《文學導報》每期約二萬字，注重於揭露當時國民黨的『民族主義文學』的眞面目，反封建文學，討論文藝大眾化（因爲以前的『普羅文學』實在不是用了大眾的口語寫的）……直到一九三二年一月上海戰爭發生（即「一二八」抗日之戰），這機關報的編輯是魯迅、馮雪峰和我。」（註四）

附帶說明，茅盾是在一九三〇（民國十九）年四月回到上海，旋即加入成立不久的「左聯」。因爲他是民國十年加入中共的老黨員，在「左聯」中的地位與魯迅相等。丁玲就說過：「魯迅和茅盾，是左聯的領導，有重要的事情去請示他們。不重要的事盡量不去打擾他們。這是爲了保護他們，怕發生什麼事連累了他們。遇有重要活動，要做決定，發宣言，就要讓他們到，還要請他們領頭簽名。」（註五）

可是，何爲大事，何爲小事，何爲黨務，何爲盟務，有時各方看法不同。日後將有引起歧見的事例。

從前引資料來看，就在短短一年之內，「左聯」只剩十二個盟員，可說已成外强中乾的局面。人員的離散凋零，因素甚多，本文僅舉幾項魯迅曾經涉及的爲例。

第二節　「烈士」、「叛徒」、「紅隊」

首先談烈士。

就在民國二十年（一九三一）一月十七日，柔石、胡也頻（丁玲之第一任丈夫）、李偉森、殷夫（徐祖華）、馮鏗（馮嶺梅）等五位「左聯」作家被捕。二月七日同在上海龍華警備司令部槍決。因爲這五人是「作家」，於是廣爲宣傳。魯迅隨即寫了「柔石小傳」，「中國無產階級革命文學和前驅的血」，「黑暗中國的文藝界的現狀」，向國內外發出控訴。（註六）前已簡略提到，柔石等人實際是被中共黨內鬥爭所殺，而由政府機構執行死刑。

丁玲回憶說：一九三〇年「冬天，社聯、自由大同盟等聯合選代表出席即將在蘇區召開的全國蘇維埃代表大會，胡也頻當選爲代表。一九三一年一月十七日，胡也頻去東方旅舍與蘇維埃代表大會準備會的同志聯系，了解他去蘇區的日期和其他情況，但到旅舍不久，即遭逮捕。同時被捕的有馮鏗等人。二月七日遇難。同時遇難的，左聯盟員有柔石、殷夫、李偉森，另有何孟雄等，共二十三人。」

（註七）但她隱諱了眞正原因，不如夏衍說得正確。

夏衍說：「三一年一月下旬，潘漢年召集『文總』所屬各聯的盟員……開了一次傳達會議。由於部分黨員已經在立三路線時期受到過不應有的損害，因此對王明的那條路線很有反感。報告中途就有人竊竊私語，表示不滿。散會後我們下樓時，胡也頻、馮鏗等還對我說：『對這個報告我們有意見。』兩天或三天以後，報上發表了東方飯店二十二名（原文如此）『共黨』被捕的消息。這二十二人當中就有『左聯』的五個成員，即柔石、胡也頻、馮鏗、李偉森、殷夫，他們是爲了反對王明的『左』傾路線，在東方飯店開會而被捕的……。」（註八）

本文在前一節中提過，中共的六屆「四中」全會確立了王明路線，排除了何孟雄等人。這次潘漢年所「傳達」的就是「四中」的決議。但「五烈士」卻參加了何孟雄等的「反四中」陣容。東方飯店是他們的秘密機關，他們去那裡開會，並非所稱與「全蘇大會籌備會」人員連繫。但以事機不密，「中央派」向公共租界捕房告密，遂被一網成擒，經租界特別法庭移送龍華警備司令部法辦。這是中共安內攘外的一石兩鳥之計。（註九）王明日後承認確實有人告密，但那人是羅章龍派的王拙夫（唐虞）。（註一〇）

「叛徒」指脫離中共者而言，魯迅文章中則常稱之爲「轉向」者。自從國民黨「清共」——尤其中共歷次暴動失敗後，共黨人士之脫離或轉爲反共者日多。此何以周恩來等早在民國十六年（一九二七）年底即於上海建立「中共中央特科」及暗殺組織「紅隊」，它「旣負責保衞黨中央的安全，又對罪大惡極的叛徒進行嚴懲」；它們的活動範圍「兼及武漢、天津、香港等地」。（註一一）

「左聯」中人自亦有轉向者，但有眞有假。眞的之中，可以楊邨人爲代表。楊氏於一九二五年加入共黨，一九二八年入「太陽社」，一九三二年「叛變革命」。他之所以反共，胡秋原曾在自己的作品中說明理由：

「久不見面之楊邨人一天忽然來看我。他說，剛由洪湖來。他被他們的黨派到洪湖『革命』，對我描寫洪湖共黨自相殘殺之恐怖，以及不近人情之殘酷。他說，這也許是無產階級立場，但他卻不願再做無產階級了。他交給我一篇文章『揭起小資產階級革命文學之旗』，說是他最近觀感。我交《讀書雜誌》編者發表。他遂受到共黨圍攻。唯從前贊助魯迅的韓侍桁、葉××二兄，都很同情他。這一時對左翼勢力，也頗有不利影響」。（註一二）在這裡，胡氏記憶有誤，當時發表在《讀書雜誌》的是「離開政黨生活的戰壕」。

楊氏在《讀書雜誌》三卷一期（一九三三年一月）的「離開政黨生活的戰壕」中，如此告白：「回過頭來看我自己，父老家貧弟幼，漂泊半生，一事無成，革命何時才成功，我的家人現在作餓殍不能過日，將來革命就是成功，以湘鄂西蘇區的情形來推測，我的家人也不免作餓殍作叫化子的。還是：留得青山在，且顧自家人罷了！病中，千思萬想，終於由理智來判定，我脫離中國共產黨了」。（註一三）

他的「揭起小資產階級革命文學之旗」，發表在《現代》第二卷四期上（一九三三年二月一日出版）。提出如下的主張：

「無產階級已經樹起無產階級文學之旗，而且已經有了鞏固的營壘，我們爲了這廣大的小市民和農民群眾的啓發工作，我們也揭起小資產階級革命文學之旗，號召同志，整齊隊伍，來紮住我們的陣容」；同時韓侍桁也寫了一篇「揭起小資產階級革命文學之旗」，作爲響應，並說楊氏是「一個忠實者，一個不欺騙團體的忠實者」；他的言論是「一個純粹求眞理的智識者的文學上的講話。」（註一四）

魯迅對楊氏的諷刺，可以「答楊邨人先生公開信的公開信」爲代表，對於楊的「小資產階級文學革命」並無具體批評，只是調侃道：「我以爲先生雖是革命場中的一位小販，卻並不是奸商。我所謂奸商者，……一種是革命的驍將，殺土豪，倒劣紳，激烈得很，一有蹉跌，便稱爲『棄邪歸正』，罵『土匪』，殺同人，也激烈得很，……先生呢，據『自白』，革命與否以親之苦樂爲轉移，有些投機氣味是無疑的，但沒有反過來做大批的買賣，僅在竭力化爲『第三種人』，來過比革命黨較好的生活。」（註一五）

楊氏將來還寫了「赤區歸來記」與「續」篇，報導他的見聞，登在一九三五年八月的《社會月報》（大眾語特集）上。因爲該刊首篇就是魯迅的「答曹聚仁先生信」（關於大眾語的意見）竟引來「紹伯」（田漢的化名）的攻擊。這也成爲「左聯」內訌的一個話題，將在下文述及。

另外一位「轉向」代表人物是盧森堡（任鈞），魯迅一九三三年五月六日的日記載有：「得森堡信幷詩」。（註一六）盧森堡在「左聯」中擔任「組織部長」（中共文獻作「組織幹事」），因爲他掌管一切人事機密，一旦「轉向」，使得盟內人物夢魂不安。「甚至有主張左聯組織『偵察察隊』者」。（註一七）但在一九八〇年時，他還寫了「關於『左聯』的一些情況」。（註一八）可見當年只是奉命行事的假投降。

至於像田漢、丁玲、廖沫沙、陽翰笙（華翰）等的被捕，都曾引起魯迅的注意，惟恐他們意志不堅。其實那是多慮。他們日後都經歷過「無產階級專政」的各個階段。

在叛徒之後，似宜簡述那負責「嚴懲」叛徒的「紅隊」；而在述及「紅隊」之前，要談及一先一後的兩件事情。前者可稱「剖西瓜」事件，後者可稱「實際解決」案。它們都與魯迅有關連。

回溯「左聯」與胡秋原、蘇汶論戰當中，周揚在他所編的左聯機關刊物《文學月報》四期上（一九三二年十一月），發表「芸生」（邱九如）的詩——「漢奸的供狀」，用「丟那媽」漫罵，並以「擔心，你的腦袋一下就要變做剖開的西瓜」爲恫嚇；魯迅即寫「辱罵和恐嚇決不是戰鬥」作爲公開信，請周揚注意「參考」。（註一九）

他認爲辱罵與「剖西瓜」之類的恐嚇，都是「極不對的」。他說「無產者的革命，乃是爲了自己的解放和消滅階級，並非因爲要殺人，即使是正面的敵人，倘不死於戰場，就有大衆的裁判，……現在雖然有什麼『殺人放火』的傳聞，但這只是一種誣陷。中國的報紙上看不出實話，然而只要一看別國的例子也就可以恍然……，俄國不是連皇帝的宮殿都沒有燒麼？而我們的作者，卻將革命的工農用筆塗成一個嚇人的鬼臉，由我看來，眞是鹵莽之極了。」（註二〇）

他的話，一面是告誡革命後進；一面則辯護說，報導中共暴動殺人放火的消息，全是「誣陷」，眞可謂攻防並用的佳作。但如僅說俄共不曾燒掉皇宮，卻忘了沙皇一家在「十月革命」後，全家未經任何形式的審判而遭槍殺。至於不死於戰場的敵人「就有大眾的裁判」，那早已見於毛澤東在湖南推行「農民協會」時的「公審」地主——以後我們可以看到，李立三的父親便是如此被殺。並且，這一次魯迅雖是站在辯護人的立場，但等到「左聯」解散之後，徐懋庸以「實際解決」威脅胡風等人時，他將大怒。

「紅隊」這組織，在中共資料罕見——如果不說從未——提及。因爲劉少奇曾引列寧的話，說這工作好像「他（列寧）的右手」，而且表示：「永遠不能公開的，就是在革命勝利以後還要保密的，就是鋤奸工作」。（註二一）因爲自從國民黨清黨後，許多中共黨員紛紛自首自新，一九二八年十月十七日，中共中央第六十九號通告說：「可恥的自首叛變的現象日益蔓延」，因而號召黨內外群眾，同將自首而且反共的「叛徒」處以死刑。（註二二）此後更有多次類似指示，不必全引。近來，《國共關係史》特地敍述了「中共中央特科」及「紅隊」的組織與工作情形。並說及國民的特務組織——如「中央調查統計局」，「軍事委員會調查統計局」。在時間上，中共的組織成立於一九二七（民十六）

年底，「中統局」前身的「中央組織部調查科」要到民國十八年一月一日纔有能與「紅隊」對抗的單位。至於軍事委員會的調查機構，成立更晚。在這方面，中共確實領先國民黨。

《國共關係史》也特地提到「紅隊」叛徒顧順章。現在以他為代表，略示當時的狀況。

顧順章並非無名之輩，他是上海工人出身，曾赴蘇俄接受特務訓練。民十六年（一九二七）初，周恩來在上海主持工人暴動，他就是「工人糾察隊」隊長和總指揮。在該年四月二日，以蔡元培為主席的國民黨中央監察委員會全體大會，議決查辦中共謀叛案，在名單中，他與周恩來、郭沫若等並列。他後任「紅隊」隊長。民國二十年（一九三一）四月，顧在漢口被捕，願與政府合作，成為中共的「叛徒」。中共立即將該組織徹底改組，改稱「特別工作委員會」，由周恩來、廖程雲（陳雲）、趙容（康生）、潘漢年、鄺惠安五人成立「五人會議」。由此可知，潘漢年在「左聯」的地位不同於其他同志。

顧順章自新後，對中共地下組織造成嚴重打擊，其大要可見《國共關係史》。（註二三）該書也提到顧的死亡，但未提顧家的滅門慘案。在此稍加補充。

顧在武漢被捕的消息，傳到國民黨「中央調查科」時，由負責人徐恩增的得力助手接到。他是中共潛伏分子，立將消息報告中共而潛逃江西瑞金蘇區。（註二四）同時，漢口當局將消息電告國民政府軍事委員會時，中共潛伏分子李克農接到電話，將消息壓住一小時，先告訴上海的中共中央，使周恩來等及時逃脫。（註二五）

顧順章自知被捕消息已漏，根據親身體驗，料定中共必然對他的家小不利，於是請求徐氏派人接眷。徐氏在七小時之內派人前往顧家的兩處秘密居所，均已人去樓空，被周恩來等早到了一步。同年八月，「紅隊」科長王世德在滬被捕，起初只說奉周恩來之命接走顧家八口，但卻不知下落。後來經調查科多方勸導，最有力的一句話是：「就以你過去的工作以及與顧順章的關係而論，即使我們現在放你出去，他們仍能相信你嗎？」於是王世德經過考慮，面告顧順章說，周恩來已經下令將你的家眷「統統解決」。翌日即同徐氏及顧等同往現場挖掘屍體，結果在法租界甘斯東路愛棠村十一號一丈見方的小院地下深達丈許之處，掘出裸屍八具，包括顧妻、岳父母、內弟等人。接著又根據王世德的消息，先後在公共租界武功坊三十二號，新聞路斯文里七十號等四五處地點掘出屍體三十九具。此事由各報連同照片刊登，喧騰中外。當初中國當局向各租界交涉掘屍時，全都不肯置信，並提出若干條件。一旦證實確為事實，轉而全力協助。但等到掘出之慘死者為數過多，且將繼續發掘時，又覺得這對租界維持治安的能力，構成莫大嘲笑，因此轉而請求迅作結束，以日後全力協助中國政府在租界進行防制共黨活動為條件。由於任務大體完成，而且死者為誰亦難鑑定，就連原來奉命執行暗殺者亦大都不知被殺者的姓名，於是這工作告一段落。(註二六)

如此看來，中共黨員一朝加入，出路不多。一是追隨到底，死為「烈士」，生者則歷經日後的反復「整黨」、「整風」。二是成為「叛徒」，堅決反共。至如隱姓埋名，或遠走海外者寥寥無幾，而且要看他的地位和幸運。對屬於知識分子的作家，他們還有一道心靈上的枷鎖。鮑羅庭曾經列舉知識分子的十四項心理弱點，並且强調說：

「他們一經委身於我們，百分之九十九就有充分的理由一直委身於我們：那就是他們心理上感到既光榮又恐懼，而不敢自省及承認他們要中途退卻，或者是他們在精神上已被共產主義所收買。知識分子的許多其他特質中，最明顯的一種是帶有濃厚的自我色彩。一個知識分子公開擁護一種錯誤的觀念，……他若承認當時未經過深思熟慮，這一事實，就等於，譴責他是一個罪大惡極的騙子、傻瓜或精神錯亂、微不足道的人。若要他爽爽快快地承認他的錯誤，幾乎是像要他受酷刑至死一樣的痛苦。說他錯了，就是對於知識分子或自命爲知識分子者的最大侮辱。這也是知識分子無止境地捲入許多充滿恨意的破口大罵與熱烈筆戰的原因。它敗壞了風度，惹起怨恨，而此種情形出乎意料之外地反而時常對我們有利」。（註二七）

鮑羅庭的話，就「左聯」前後的筆戰來看，相當準確。

總結全章，中共自承由於國民政府採用了「自首政策，收買叛徒」及「特務組織從外打入」等方式，共黨組織幾近崩潰。曾經被「特務機關捕去的中共黨員和幹部（約）二四，八〇〇多人。其中：歷屆中共中央總書記三人……，省市委幹部八二九人，縣市幹部八，一九九人，一般幹部和黨員一五，七六五人。……白區工作幾乎損失百分之百，以致中共中央機關不得不被迫遷往中央蘇區（江西）」。（註二八）

因此，「左聯」在丁玲、周揚等於一九三三（民國廿二）年擔任「黨團書記」時，實際已經到了日近黃昏，由是魯迅的作用愈爲重要。然而中共幹部和他之間的先天和後天的矛盾卻愈爲突出。爲了怕他「轉向」，中共幹部一方面寫文章警告，一面用「鞭子打」他。他在私人通信中大表哀痛之心，在駁辯的文章中卻語氣婉轉。由於他和「中共中央特科」有專線聯繫，在「紅隊」一類的嚴密「保衞」之下，不知是否也有畏懼之感。

【附註】

註　一：《左聯回憶錄》（上），第三六，四六，五〇——五二頁。

註　二：鄭育之「回憶『左聯』的一些情況」，同右書，第二九六頁。

註　三：王堯山「憶在『左聯』工作的前後」，同右書，第三一一——三一二頁。

註　四：「關於『左聯』」，同右書，第一五一——一五二頁。

註　五：「關於『左聯』的片斷回憶」，同右書，第一六四頁。

註　六：《三閑集》，全集第四卷。

註　七：《左聯回憶錄》（上），第一六一頁。

註　八：同右註，第四九頁。

註　九：《我和共產黨鬥爭的回憶》，第二六——二七頁。

註一〇：陳紹禹（王明）《爲中共更加布爾塞維克化而努力》，延安解放社，一九四〇年，第一六六——一六七頁。

註一一：《國共關係史》，第二五六頁。
註一二：《在唐三藏與浮士德之間》，作者自行出版，民國五十一年初版，第一三——一四頁。
註一三：轉引自鄭學稼《魯迅正傳》，臺北：時報文化事業有限公司，民國六十七年初版，第四〇〇頁。
註一四：同註一三，第三九九——四〇〇頁。
註一五：《南腔北調集》，全集第四卷，第六二三——六三一頁。楊邨人來信附於文首。
註一六：《日記》，全集第十五卷，第七八頁。
註一七：《中國共產黨之透視》，第三九八頁。
註一八：《左聯回憶錄》（上），第二四六——二五七頁。
註一九：《南腔北調集》，全集第四卷，第四五一頁。
註二〇：同註一九，第四五二頁。
註二一：「對鹽城保衛人員訓練班之講話」（一九四一年四月廿九日），臺北：政大國際關係研究中心影印藏本。
註二二：「關於黨的組織：創造無產階級的黨和其主要路線」（一九二八年十月十七日），右引機構影印藏本。
註二三：《國共兩黨關係史》，第二五一——二五二頁。
註二四：《我和共產黨鬥爭的回憶》，第八頁。
註二五：《中共史論》第二冊，第二三三頁。
註二六：同註二四，第二二——二五頁。

註二七：宋美齡《與鮑羅廷談話的回憶錄》，臺北：源成文化圖書供應社，民國六十五初版，第四九——五〇頁。按：該書為中英對照本，筆者依英文而將中文小有修改。

註二八：《國共兩黨關係史》，第二五五頁。

第八章 魯「左」交惡

第一節 思想「差距」和「雙重領導」

冰凍三尺，非一日之寒。中共領導人當初決定邀請魯迅合組「左聯」，原是仰仗他的黨外身份和文藝上的「巨大影響和作用」；至於看重他的「先進思想」，只是一種修辭手法。

陽翰笙回憶說，當初他們開會討論停止與魯迅論爭時，「也有個別同志不表態，說魯迅是一個激進的民主主義者，不是馬列主義者，爲什麼不可以批評呢？實際上心中不以爲然，但話講得比較委婉，因爲有李富春同志明確的指示」。（註一）此人不知是誰，但這見解不僅限於一二人而已。夏衍在多年後的結論是：

「他（魯迅）對我們這些『左得可愛』的青年人，盡管願意聯合，但對我們的做法、作風、文風是有不少意見的。有時也當面講，有時從他的文章中可以淸楚的看得出來。在成立『左聯』的時候，我們服從黨的命令，與魯迅實行了聯合，並以他爲『左聯』的領導人，但在思想上顯然與魯迅還是有差距的。」（註二）從事實上看，儘管有長達六年的合作，這差距始終存在。中共改變不了魯迅，魯迅更改變不了中共。

就在合作期間，周揚等人就辦過內部刊物檢討「左聯」的工作，但不讓魯迅看到，引起他的不滿。這刊物未見公開，但內容可想必有批評魯迅的地方。

前曾提及，「左聯」的領導組織是一個雙頭馬車。不僅如此，它在兩匹馬當中還需要一個媒介。曾經擔任過那工作的任白戈說：「一九三四年初，『左聯』舉行了秘密選舉，選出執行委員，再由執行委員選出常務委員會，負責領導『左聯』的日常工作。……選出的執行委員有魯迅、茅盾、周揚、夏衍、田漢、陽翰笙……何谷天、胡風和我……。魯迅作書記，胡風作秘書長……。魯迅先生由於被國民黨監視不便參加常委會，經常開會的只有胡風、何谷天和我三個人。周揚同志經常出席我們的常委會，但他是代表『左聯』的上級組織『文總』出席指導的。以後我們纔知道他是『左聯』的黨團書記。開始周同志到會發表一些意見，我們幾個人都是尊重執行的。逐漸情況發生了變化。胡風經常表示不同意周揚同志的意見。但由於何谷天同志是黨員，在組織原則上他應該同意周揚同志的意見。常常是我和何谷天同志對胡風一人。……但胡風擔任秘書長的職務，我們常委會的工作由他負責向魯迅先生報告請示，他常常在傳達魯迅先生指示的時候帶進一些他自己的意見，有些就顯然與周揚同志不同。本來『左聯』是在雙重領導下工作；一方面接受魯迅先生領導，一方面要接受黨的領導。」（註三）

長話短說，此時『左聯』中人，包括周揚，都認爲胡風不是黨員，甚至說他「和南京有關係，不能做『左聯』的秘書長」，於是改由任白戈接替；不久之後，田漢又告訴任白戈，魯迅也不想管「左聯」的事，「文總」派他代理魯迅的「書記」職務。（註四）

上述的話，都表示魯迅與周揚之間的矛盾，是由胡風引起；而胡風既非黨員，且係南京派來，甚至魯迅的不管「左聯」的事，也與胡風有關。事實上，胡風曾是國民黨黨員，但此來並非南京所派；這一點要在本章第三節中纔見分曉。

思想、組織，乃至雙方的「做法、作風、文風」的歧異，當然引起摩擦與論爭。然而雙方都各有所恃，那就是中共中央的領導者。例如「左聯」解散後，魯迅所支持的「民族革命戰爭的大眾文學」口號—用以對抗周揚等的「國防文學」，並非完全出於自發的舉動。

第二節　由「梯子」到「買辦」

關於魯迅對「左聯」的種種意見—包括中共作家對他的批評，本文擬大體按照時間順序予以引述，如此似易看出事態發展的先後。

「左聯」成立不久，魯迅於一九三〇（民國十九）年三月廿七日，致章廷謙信中，談到他參加該盟的動機，說道：

「……我十年以來，幫未名社、幫狂飆社，幫朝花社，而無不失敗，或受欺，但願有英俊出於中國之心，終於未死，所以此次又應青年之請，除自由同盟外，又加入左翼作家連盟，於會場中一覽了薈萃於上海的革命作家，然而以我看來，皆茄花色，於是不佞勢又不得不有作梯子之險，但還怕他們尚未必能爬梯子也，哀哉！」（註五）

可以說，他原是抱着再爲青年人做一次「梯子」的心情，對將來未表樂觀。此外，他因在參加「左聯」直前發起「自由大同盟」被通緝，寫信時已避入日租界的「內山書店」。

該年九月廿日，魯迅致函曹靖華：「至於這裡的新的文藝運動，先前原不過一陣空喊，並無成績，現在則連空喊也沒有了。新的文人，都是一轉眼，忽而化爲無產文學家的人，現又消沈下去，我看此輩於新文學大有害處，只有提出這一名目來，使大家注意了之功，是不可沒的。」（註六）這些話，大致暗示了日後不和的基本原因。至於曹靖華與魯迅及「左聯」的關係，似宜說明。曹靖華兩度赴俄，原擬由其擔任「左聯」駐莫斯科代表，但因回國，轉由蕭三負責，並由他介紹蕭與魯迅通信，傳遞「左聯」文件（後來書信中以「周連」等爲隱語）。因此，曹靖華是一個中間媒介，有些不便當面或公開說的話，可以由他轉達。

翌年（一九三一）二月四日，他致信李秉中說：「我自旅滬以來，謹慎備至，幾於謝絕人世，結舌無言。然以昔曾弄筆，志在革新，故根源未竭，仍爲左翼作家聯盟之一員。而上海文壇小丑，遂欲乘機陷之以自快慰，造作蜚語，力施中傷，由來久矣。」（註七）

這裡的小丑，應亦包括「左翼」中人。他在該年七月二十日發表了題爲「上海文藝之一瞥」的講演。（註八）其中談到「左聯」：

「到了前年，『革命文學』這名目才旺盛起來了，主張的是從『革命策源地』回來的幾個創造社元老和新分子。革命文學之所以旺盛起來，自然是因爲由於社會的背景，一般群眾，青年有了這樣的要求。當從廣東開始北伐的時候，一般積極的青年都跑到實際工作去了，那時還沒有什麼顯著的革命文學運動，到了政治環境突然改變，革命遭了挫折，階級的分化非常顯明，國民黨以『清黨』之名，大戮共產黨及革命群眾，而死剩的青年們再入於被壓迫的境遇，於是革命文學在上海這才有了强烈的活動。……但那時的革命文學運動，據我的意見，是未經好好的計劃，很有些錯誤之處的。例如，第一，他們對於中國社會，未曾加以細密的分析，便將蘇維埃政權之下才能運用的方法，來機械地運用了。再則他們，尤其是成仿吾先生，將革命理解爲非常可怕的事，擺着一種左傾的凶惡的面貌，好似革命一到，一切非革命者就都得死，令人對革命只抱着恐怖。……這種令人『知道點革命的厲害』，只圖自己說得暢快的態度，也還是中了才子＋流氓的毒。

「……激烈得快的，也平和得快，甚至於也頹廢得快。……在中國，去年的革命文學者和前年很有點不同了。……『革命』和『文學』，若斷若續，好像兩隻靠近的船，……而作者的每一隻腳就站每一隻船上面。當環境較好的時候，作者就在革命這一隻船上踏得重一點，分明是革命者，待到革命一被壓迫，則在文學的船上踏得重一點，他變得不過是文學家了。

「……去年左翼作家聯盟在上海的成立，是一件重要的事實。因爲這時已經輸入了蒲力漢諾夫、盧那卡爾斯基等的理論，給大家能夠互相切磋，更加堅實有力，但也正因爲更加堅實而有力了，就受到世界上古今少有的壓迫和摧殘」，使一些左翼作家「立刻現出原形，有的寫悔過書，有的是反轉來攻擊左聯，以顯出他今年的見識又進了一步。這雖然並非左聯直接的自動，然而也是一種掃蕩……。」

他的責罵國民黨是必然的，否則無以表示「革命」的正確。但談到「左聯」成立和輸入蘇俄文藝理論時，暗示了那是「梯子」和「盜火者」的貢獻。這些話應該不能使中共作家完全接受。至於本文未引的譏諷「創造社」過去也是「才子＋流氓」之流，出言可謂輕薄，不會使郭沫等人心服。再如他說「革命」不像成仿吾所講的那麼「非常可怕」，也和他在「左聯」成立會上所說的不同。這些都能引起內部的不滿。另兩點關於文學的意見，也有一提的必要。

「現在的左翼作家，能寫出好的無產階級文學來麼？我想，也很難。這是因爲現在的左翼作家都是讀書人—智識階級，他們要寫出革命的實際來，是很不容易的緣故。……所以革命文學家，至少是必須和革命共同着生命，或深切地感受着革命的脈搏的。（最近左聯的提出了『作家無產階級化』的口號，就是對於這一點的很正確的理解。）在現在中國這樣的社會中，最容易出現的，是反叛的小資產階級的反抗的，或暴露的作品。」

就前面一點而言，何爲「無產階級文學」至今數十年尚無定論，雖然中共作家早已「無產化」。

就後一點而言，那是他自己所優爲，並鼓勵青年作家去做的。總之，這時他以「左聯」創建人與領導者的身份說話，不能不表示聲勢上的壯大。回顧前章茅盾的表白，「左聯」在這一年的春季，已然「陣容非常零落」。

翌年（一九三二）六月廿四日，他在寄曹靖華信中，談到「郵局中也常有古怪脾氣的人，看見『俄國』兩個字就恨恨」，故意刁難他寄往俄國的郵件；並且慨嘆「上海的小市民眞是十之九是昏瞶胡塗，他們好像以爲俄國要吃他似的。文人多是狗，一批一批的匿了名向普羅文學進攻。」（註九）看來「大眾」並不歡迎蘇聯和「無產階級文學」，因而吸引對象還在於「十分之九」以外的知識青年，但成果看來不好。

同年十二月十二日，他在致曹請華信中說：「周連兄近來沒有甚麼成績可說。《北斗》已被停刊，現在我們編的只有《文學月報》。」（註一〇）所謂「周連」，即左聯的諧音。

除了「狗」似的文人，左聯應該爭取外界作家，但一向犯有「宗派主義」。翌年（一九三三）五月十日，魯迅在寫給王志之的信中，談到朱自清，鄭振鐸應邀出席北京「文學雜誌社」茶會的事，甚爲欣慰地表示：「鄭朱皆合作，甚好。我以爲我們的態度還是緩和些的好。其實有一些人，即是並無大幫助，卻並不懷著惡意，目前決不是敵人，倘若疾聲厲色，拒人於千里之外，倒是我們的損失。」（註一一）

附帶說明，鄭振鐸是可稱「前進」的人士。他在民國十年（一九二一）八月，就發表過「文學與革命」的論文。（註一二）朱自清與魯迅則無舊怨。歡迎外界作家，是爲了擴大寫作陣容，但也須廣泛的讀者，當曹聚仁爲其所辦《濤聲》邀稿時，他回信（一九三三年六月三日）說：「看起來，就是中學畢業生，或大學生，也未必看得懂《濤聲》罷，近來的學生，好像『木』的頗多了。但我並不希望《濤聲》改淺，失其特色。」（註一三）

除了覺得當時青年的閱讀能力甚低，對他們的品性，他也在同月十八日致曹聚仁信中表示：「今之青年，似乎比我們青年時代的青年精明，而有些也更重目前之益，爲了一點小利，而反噬構陷，眞有大出意外者，歷來所受之事，眞是一言難盡，但我總如野獸一樣，受了傷，就回頭鑽入草叢，舐掉血跡，至多也不過呻吟幾聲的。只是現在卻因爲年紀漸大，精力就衰，世故也愈深，所以漸漸迴避了。」（註一四）

這裡所說的青年，由以後的資料來看，應當包括左翼的在內。雖然如此，他對遠來求教的仍然加以鼓勵和指導。這年六月廿日，他在答太原「榴花社」諸君信中，建議說：「新文藝之在太原，還在開墾時代，作品似宜以淺顯爲宜，也不要激烈，這是必須察看環境和時候的。……萬勿貪一種虛名，而反致不能出版。戰鬥當先守住營壘，若專一沖鋒，而反遭覆滅，乃無謀之勇，非眞勇也。」（註一五）

由於迴避某些青年，也由於可用的青年作者不多，以及「革命」性的出版物被禁，於是他以化名投搞，因而引起外界的注意。他在一九三三年八月一日「致胡今虛」信中，有所解釋：「你說我二三年來，沈聲而且隱藏，這是不確的，事實上也許正相反。不過環境和先前不同，我連改名發表文章，也還受吧兒的告密。……然而連住我寓裡的學生，也因而憎惡我，說因爲住在我屋裡，他的朋友都看他不起了。我要迴避，是決非太過的，我至今還相信並非太過。……好的青年，自然有的，我親見他們遇害，親見他們受苦，如果沒有這些人，我眞可以『息息肩』了。」（註一六）

同年十月七日，又函告胡今虛：「現在○○的各種現象，在重壓之下，一定會有的。我在這三十年中，目睹了不知多少。但一面有人叛離，一面也有新的生力軍起來，所以前進的還是前進。弄文學的人，只要（一）堅忍，（二）認眞，（三）韌長，就可以了。不必因爲有人改變，就悲觀的。」（註一七）

從以上的信函中，可見魯迅的心情已有失落、無奈之感，但與「左聯」共幹尚無直接內訌，雖然稍早的信中，似已微露端倪。在這年七月八日致黎烈文中信中，他說：「我與中國新文人相周旋者十餘年，頗覺古怪者爲多，而漂聚於上海者，實尤爲古怪，造謠生事，害人賣友，幾乎視若當然，而最可怕的是動輒要你生命。但倘遇此輩，第一切戒憤怒，不必與之針鋒相對，只須付之一笑，徐徐撲之。」（註一八）

「賣友」應指左翼「叛徒」而言，所謂「動輒要你性命」，不像他所謂的「叭兒」、「小丑」的口吻，倒像前述的「芸生」，用「剖西瓜」恫嚇提倡自由文藝的人士。總之，「左聯」中人的批評魯迅，至此似未表面化。要等到一九三四（民廿三）年七月三日，廖沫沙化名「林默」，在《大晚報·

火炬》上發表「花邊文學」，纔使雙方的交惡情狀暴露。

「花邊文學」說：「近來有一種文章，四週圍著花邊，從一些副刊上出現。……看外形似乎是『雜感』，但又像『格言』，……但從讀者看來，卻往往滲有毒汁，散布了妖言」，並罵該文作者為「買辦」；結語說：「現在是建設『大眾語』文學的時候，我想『花邊文學』，不論這種形式或內容，在大眾眼中，將有流傳不下去的一天罷。」魯迅日後將它附在「倒提」之後，收入《花邊文學》集。在該集的序言中，他雖指出有一位青年戰友，化名射來「暗箭」，「立意非常巧妙」，卻措辭委婉，未作尖刻憤怒的反擊。（註一九）

斥作者為「買辦」，罵內容為「妖言」，都是很嚴厲的字眼。並且文章末了還說該稿投了幾個地方都被拒絕，並且「倘若得罪的是我的先輩或友人」，就請諒解。由此看來，廖沫沙應該知道「倒提」的作者「公汗」就是魯迅。其實「倒提」一文的內容很普通；它說租界中不許倒提雞鴨，而中國社會中的人卻被「倒懸」。因此，廖沫沙之力加抨擊，應該由於《申報：自由談》與主編黎烈文都與左翼並無瓜葛，因而恐怕魯迅有變。

前曾提及，魯迅的「答曹聚人先生信」曾和「叛徒」楊邨人的「赤區歸來記」一同發表在《社會月報》上。於是，田漢化名「紹伯」寫了「調和」發表於一九三四年八月卅一日的《大晚報：火炬》，說魯迅與楊邨人已然調和。對此，魯迅於十一月十四日作「答《戲》週刊編者信」，說明他的文章與誰的同時登出，事先不知，決無調和之事，「但倘有同一營壘中人，化了裝從背後給我一刀，則我

的對於他的憎惡和鄙視，是在明顯的敵人以上的。」（註二〇）

此時，雙方的互訌已然表面化。因此，魯迅在該年十二月六日寫給蕭軍、蕭紅夫婦的信中，如此說道：「單是一些無聊事，就會花去許多力氣。但，敵人是不足懼的，最可怕的是自己營壘裡的蛀虫，許多事都敗在他們手裡。因此，就有時會使我感到寂寞。但我是還要照以前那樣做事的，……我的確常常感到焦煩，但力能所做的，就做，而又常常有『獨戰』的悲哀，不料有些朋友們，卻斥責我懶，不做事；他們昂頭天外，評論之後，不知那裡去了。」（註二一）

同月十日，他再寫信給二蕭，其中說：「其實，左聯開始的基礎並不好，因為那時沒有現在式的壓迫，所以有一些人以為一經加入，就可以稱為前進，而又並無大危險的，不料壓迫來了，就逃走了一批。這還不算壞，有的竟至於賣消息去了。人少倒不要緊，只要質地好，而現在連這也做不到。」（註二二）

蕭軍因魯迅的勸告，未入「左聯」。但他夫妻兩都與左聯中人有來往。魯迅的意見，至少可以委婉轉達。到了十二月十八日，他寫信給楊霽雲，說得非常露骨：「叭兒之類，是不足懼的，最可怕的確是口是心非的所謂『戰友』，因為防不勝防，例如紹伯之流。我至今還不明白他是什麼意思。為了防後方，我就得橫站，不能正對敵人，而且瞻前顧後，格外費力。」（註二三）

到了第二年（一九三五）一月四日，他在回信中對蕭軍夫婦說：「你所遇見的人，是不會說我怎樣壞的，敵對或侮蔑的意思，我相信也沒有。不過『太不留情面』的批評是絕對的不足為訓的。如果

已經開始筆戰了，爲什麼要留情面？」（註二四）

蕭軍來信未見，但可以推想，蕭軍告訴魯迅，對方並未說他壞話，也無敵意，並且勸他筆下不要「太不留情面」。但筆戰既開，已無情面可講。

同月十七日，他答覆徐懋庸來信，說：「我憎惡那些拿了鞭子打我的人。」（註二五）

同月廿六日，他在致曹靖華信中說：「這裡朋友的行爲，我眞不知道是什麼意思，出過一種刊物，將去年爲止的我們的事情，聽說批評得不值一錢，但又秘密起來，不寄給我看，而且不給看的還止我一個，我恐怕（蕭）三兄那裡也未必會寄去。所以我現在避開一點，且看看究竟是怎麼一回事再說。」（註二六）根據該文所附的註釋，那刊物是「左聯秘書處」編印的「內部」油印刊物。它應該是黨團人員的參考資料。如果它也將「左聯」工作批評得不值一錢，魯迅當爲其中之一。

這個月的廿九日，田漢終於寫信給魯迅，此事見於魯迅的日記。（註二七）它的內容，可從二月七日魯迅致曹靖華信中見其梗概。其中說，從去年以來，所謂「第三種人」，露出本相，幫他們的主子來壓迫我們；「然而我們中的有幾個人，卻道因爲我攻擊他們太厲害了，以致逼他們如此。去年春天，有人在《大晚報》上作文，說我的短評是買辦意識，後來知道這文章其實是朋友做的，經許多人的質問，他答說已寄信給我解釋，但這信我至今沒有收到」；接著談到「又有一個朋友（即田君，兄見過的），化名紹伯，說我已與楊邨人合作，是調和派。被人詰問，他說這文章不是他做的。但經我的公開的詰責時，他只得承認是自己所作。不過他說：……是故意枉冤我的，爲的是想我憤怒起來，去攻擊楊邨人，不料竟回轉來攻擊他，眞出於意料之外云云。……從去年下半年以來，我總覺有幾個人倒和『第三種人』一氣，惡意的在拿我做玩具。我終於莫名其妙，所以從今年起，我決計避開一點，我實在忍耐不住了。」（註二八）

發展至此，雙方已瀕破裂，卻無有力的中共中央人物出面調停。其所以如此，那「中央」因上海無處容身，已於一九三二年底遷往江西瑞金的「蘇區」。周揚之身兼要職，也是迫於時勢。他在四十幾年後說道：「我做負責人是在黨遭到破壞以後，沒有人，我才來做頭。我的缺點很多，但有一個優點，就是相當積極、肯幹。要不然也有幾位老的人，像夏衍都是老的嘛。」（註二九）

魯迅與周揚都負責肯幹，只是立場不一，作風不同，終至勢同冰炭。同時魯迅雖然避開不管事，但有一項工作無法避免，那就是由他負責與「左聯」駐莫斯科的代表蕭三保持連絡。

早在一九三四（民國廿三）年一月十七日致蕭三信中談及轉遞郵件一事時，他就表示過：「卓姐〔左聯的另一代號〕」的文件不多，大原因固由於「壓迫重，人手少，經濟也極支絀」，但「不很起勁是有點的」。（註三十）

到了這年（一九三五）五月十七日，他在回答胡風的信中說：「蕭〔三〕有信來，又催信了，可見『正確』的信，至今沒有發。」（註三一）所謂「正確」的信，即指「左聯」應向莫斯「國際革命作家聯盟」報告工作狀況的文件。連這樣的日常工作，也由「不很起勁」而至遲遲不發，當然引起魯迅的不快。因爲周揚此時集中共黨團與「左聯」大權於一身，他自然成爲魯迅指責的焦點。

這年六月廿八日，魯迅函告胡風：「葉君（葉紫，左聯成員）曾以私事約我談過幾次，這回是以公事談話了，已連來兩信，尙未覆，因爲我實在有些不願意出門。我本是常出門的，不過近來知道了我們的元帥（周揚）深居簡出，只令別人出外奔跑，所以我也不如只在家裡坐了。……倘如元帥以爲生命價值，彼此不同，那我也無話可說，只好被打軍棍。」（註三二）

魯迅以往常對中共團體組織與個人慷慨解囊，由於不滿周揚說他「慳吝」，曾在八月廿四日回覆胡風的信中說：「葉（紫）君他們究竟是做了事的，這一點就很好。至於我們的元帥的『慳吝』說，卻有些可笑，他似乎誤解這局面爲我的私產了。前天遇見徐君（徐懋庸），說第一期還差十餘元……。我說，我一個錢也沒有。其實這是容易辦的，不過我想應該大家出一點，也就是大家都負點責任。從我自己這面看起來，我先前實在有點『浪費』，固然收入也多，但天天寫許多字，也苦。」（註三三）

此外，他更勸蕭軍不必參加「左聯」。同年九月十二日，他回答胡風來信，其中表示：「三郎（蕭軍）的事情（指加入左聯），我幾乎可以無須思索，說出我的意見來，是：現在不必進去，最初的事，說起來話長了，不論它；就是近幾年，我覺得還是在外圍的人們裡，出幾個新作家，有一些新鮮的成績，一到裡面去，即醬在無聊的糾紛中，無聲無息。以我而論，總覺得縛了一條鐵索，有一個工頭在背後用鞭子打我，無論我怎樣起勁的做，也是打，而我回頭去問自己的錯處時，他拱手客氣的說，我做得好極了，今天天氣哈哈哈……。眞常令我手足無措，我不敢對別人說關於我們的話，對於外國人，我避而不談，不得已時就撒謊。你看這是怎樣的苦境？

我的這意見，從元帥看來，一定是罪狀（但他和我的感情一定仍舊很好的），但我確信我是對的。將來通盤籌算起來，一定還是我的計劃成績好。現在元帥和『懺悔者』們的聯絡加緊（所以他們的話，在我們裡面有大作用），進攻的陣線正在展開，眞不知何時見晴朗。」（註三四）

本來指責「左聯」門戶太嚴的魯迅，此時卻批評周揚拉攏「懺悔者」——亦即「叛徒」。其實有些人的懺悔，是得到上級許可以作脫身之計的。魯迅或許不知，即使知道，對於化名「紹伯」的田漢和類似人物，也難放過。在這幾年當中，日本軍閥一再盲目用兵，於是中共利用國人的反日情緒大肆宣傳；例如民國廿一年（一九三二）一月廿八日，上海日軍突襲我國軍隊，造成「一二八事變」。中共的「中華蘇維埃共和國臨時中央政府」即於二月一日發表通電，指控「國民黨向帝國主義投降」；尚在上海的中共中央，也發表了「鬥爭綱領」，呼籲「武裝保衛蘇聯」，並發動各地的武裝力量與淞滬戰事遙相呼應，使國軍無法兼顧。

這年五月五日，中日淞滬停戰協定簽字。在這幾個月當中，中共曾在福建、江西、安徽、湖北、湖南等省發起軍事行動，執行「王明路線」中「爭取革命在一省與數省的首先勝利」。當中日休戰時，「中華蘇維埃政府」當然地發表宣言，責備政府投降妥協。另方面，蔣委員長宣佈「攘外必先安內」的政策，並決定剿匪方針是「七分政治，三分軍事」。「七分政治」的方針使許多中共黨員能夠反正，加速了中共組織的渙散。可是，抗日口號的鼓吹，確給中共人員帶來許多便利，對「左聯」亦復如是。

夏衍說：「由於日本帝國主義的侵略不斷深入，抗日運動也逐漸加强。在『一・二八』以前，我們地下黨在上海處境很困難，不僅工作困難，生活也困難，我們的同志，假如是單身住亭子間，身份又不清楚，或者沒有職業，或者衣著裝束與一般人不同（在當時我們有些年輕的文藝工作者缺乏經驗，的的確確有人喜歡蓄長髮，穿烏克蘭式襯衫，戴大紅領帶，作爲藝術家的標誌），或者不按上海人一般的生活規律活動的，就引起房東、鄰居的注意而被看成共產黨，甚至被人向工部局報告，但到了『一・二八』以後，情況就有了很大的轉變。地下黨的工作比以前方便多了，……過去容易被看成共產黨的，現在則被認爲是抗日分子了。對這樣的人，一般群眾不但不會去報告工部局，反而要對他們保護和幫助。這種情況對我們的工作有很大的好處。」

可是在國軍的第五次圍剿之下，中共踏上「長征」之路。民國廿四（一九三五）年八月一日，陳紹禹（王明）根據共產國際指示，以中共名義發出「八一宣言」，要求組織「全國人民聯合國防政府」，提出「統一戰線（統戰）」的策略。（統一戰線，即聯合陣線的另一譯名，英文爲United front。）爲此，他決定解散「左聯」這一類明顯左傾的組織。這消息於十一月由蕭三從莫斯科傳到魯迅手中，再由他轉交周揚等黨內負責人。（註三六）周揚於是提出「國防文學」口號，廣邀各界人士另外籌組「中國文藝協會」，不問他們所屬的階級，思想和流派。

對於「國防文學」這口號，周揚等幹部派自然一力支持，郭沫若、茅盾等卻表示異議，又引起一場論爭。（註三七）當它延伸到一九三六（民廿五）年六月時，胡風忽然提出一個新口號——「民族革命戰爭的大眾文學」。於是形成兩個口號的對立，在左翼與一般作家之間引發了熱烈爭議。過去根據魯迅的自白，認爲這口號是由他與茅盾們商議決定，而後由胡風提出。但從較新的資料看，並不如此單純。因爲實際涉及這口號的，還有長年陪侍魯迅的馮雪峰。

【附註】

註　一：《左聯回憶錄》（上），第六三——六四頁。

註　二：同註一，第三七頁。

註　三：同註一，第三七一——三七二頁。

註　四：同註一，第三七五頁。

註　五：《書信》，全集第十二卷，第八——十頁。

註　六：同註五，第二三頁。

註　七：同註五，第三七頁。

註　八：《二心集》，全集第四卷，二九一——三〇二頁。

註　九：《書信》，全集第十二卷，第九四頁。

註一〇：同註九，第一二九——一三〇頁。

註一一：同註九，第一七六頁。
註一二：《中國現代文學史》，濟南：山東人民出版社，一九七九年第一版，第一八四頁。
註一三：《書信》，全集第十二卷，第一八一頁。
註一四：同註一三，第一八五頁。
註一五：同註一三，第一八八頁。
註一六：同註一三，第二〇六頁。
註一七：同註一三，第二三四頁。
註一八：同註一三，第一九四頁。
註一九：《花邊文學》，全集第五卷，第四九〇——四九四頁。
註二〇：《且介亭雜文》，全集第六卷，第一四七——一四八頁。
註二一：《書信》，全集第十二卷，第五八四頁。
註二二：同註二一，第五九三頁。
註二三：同註二一，第六〇六頁。
註二四：《書信》，全集第十三卷，第三頁。
註二五：同註二四，第二〇頁。
註二六：同註二四，第三一——三二頁。

註二七：《日記》，全集第十五卷，第二〇九頁。

註二八：《書信》，全集第十三卷，第四七——四八頁。

註二九：趙浩生「周揚笑談歷史功過」，《七十年代》，一九七八年九月，第三〇頁。

註三〇：《書信》，全集第十二卷，第三三二頁。

註三一：《書信》，全集第十三卷，第一二九頁。

註三二：同註三一，第一六〇頁。

註三三：同註三一，第一九四頁。

註三四：同註三一，第二一一頁。

註三五：《左聯回憶錄》（上），第五二頁。

註三六：「魯迅著譯年表」，全集第十六卷，第三五頁。

註三七：鄭學稼《魯迅正傳》撰有「關於國防文學的論爭」一章，可供參考，第四六二——五〇二頁。

第九章　兩個「口號」的糾紛

第一節　胡風與幕後

一向隨侍魯迅的馮雪峰，在民國廿二年（一九三三）十二月底離開上海潛往瑞金，用以躲避政府的搜捕，其後跟隨「長征」前進。

就在這年六月中旬，胡風由日抵滬；「幾天後，周揚陪魯迅來見面，談甚歡。從此，在魯迅的幫助和指導下從事工作與研究。八月，由周揚通知，擔任左聯宣傳部長。爲開展工作，在宣傳部下設了三個研究會：理論研究會（有韓起、聶紺弩、任白戈等）；詩歌研究會（有穆木天、盧森堡、蒲風、柳倩等）；小說研究會（有周文、歐陽山、草明、沙汀等）。組織討論會並出一種油印的內部小刊物《文學生活》。每期都由他送給魯迅，向魯迅匯報情況，並取得魯迅資助左聯的每月二十元。在茅盾辭去左聯書記後，接任左聯書記。實際上仍兼管宣傳部的工作。……（翌年）受吳奚如委託，爲黨中央特科與魯迅間聯繫工作，直到一九三六年春馮雪峰到上海。」（註一）

由這些來看，胡風的身份頗不簡單。他可說是中共佈置在魯迅身邊，用以取代將往蘇區的馮雪峰，並且馮與他還是魯迅與中共「中央特科」的連絡者！但由於胡風在一九五四年提出「三十萬言」——即「關於解放以來文藝實踐狀況的報告」——給中共中央，遭到毛澤東的指名批判，以後的中共資料都說他不是黨員，甚至是國民黨派來的奸細，故意在魯迅、周揚之間製造矛盾。

不錯，他是國民黨黨員。早在他二十一歲的時候（一九二三年），他「由苑希儼介紹加入了共青團。同時由團指示，集體登記爲國民黨（左派）的黨員。」（註二）可能他以後不曾像郭沫若的重新入黨，以致沒有黨籍。

跟隨「長征」的馮雪峰，於一九三五（民國廿四）年十二月抵達陝北瓦窰堡。此時毛澤東們已經得到「八一宣言」的指示。該月廿五日，舉行了中共中央政治局會議—史稱「瓦窰堡會議」。除了重申八一宣言的內容，並提出「民族革命戰爭」、「抗日民族統一戰線」等口號。這些就是日後魯迅們「民族革命戰爭的大眾文學」的張本。

同一個月，瓦窰堡還召開了「西北抗日救國代表大會」，魯迅與宋慶齡、毛澤東、朱德等同被舉爲名譽主席；次年（一九三六）二月間，魯迅寫信給中共中央，慶祝紅軍長征的順利。（註三）

這年（一九三六）四月廿四日左右，馮雪峰由瓦窰堡回到上海，再回魯迅身側直至臨危爲止。帶來瓦窰堡會議內容的他，以未明的原因，不曾先去連絡黨團負責人周揚，卻與胡風（應該包括魯迅）有所商議，是以「胡風年表簡編」中有如下的記載：

「（一九三六年）四五月間，馮雪峰被黨中央派回上海，開展抗日民族統一戰線運動。在馮雪峰的創意下，提出了「民族革命戰爭的大眾文學」口號，並得到了魯迅的同意。

五月九日寫成短文《人民大眾向文學要求什麼？》，以反映『民族革命戰爭的大眾文學』口號。經魯迅和雪峰看過同意，在左聯盟員馬子華編的《文學叢報》第三期上發表。發表後，引起了圍攻。他服從雪峰的示指『沉默有時是最好的回答』，一直未再寫文章參加論爭。」（註四）

以上的記述，終於解開了以往研究中的一個問題─究竟是誰先提出另一口號？現在揭曉，是由馮雪峰創意，胡風執筆。當引起周揚等人攻擊時，魯迅挺身而出，並說那是他與茅盾等商討決定的，用他們的元老身份，去對抗周揚的黨團權威。至於馮雪峰何以敢於有此創意？魯迅何以願代人受過，將在簡述若干背景情狀後，試作推論。

當王明從莫斯科下達命令解散「左聯」時，「左聯」的黨團組織自然要執行命令。魯迅原非黨團中人，但也不能違反這決定，不過他以「執委」身分，可以表示意見。據說周揚的解散決定起初不爲魯迅同意，但「後來同意了」。（註五）至於何以後來發生「兩個口號」之爭，成立不同的組織，中共傳記家們說魯迅雖已同意解散，但「主張應該發表一個宣言，聲明左聯的解散，是爲了在新的形勢底下去完成新的歷史任務」，否則給人一種「潰散」的印象，這意見原被「文總」所接受，準備發表統一聲明，以免所屬各盟，一一自發。但後來顧慮這聲明可能影響剛組成的「文化界救國會」，於是打消成議，引起魯迅的不滿。（註六）

此說應屬日後辯解之辭，因魯迅於該年（一九三六）五月二日覆徐懋庸的信中說：「集團要解散，我是聽到了的，此後即無下文，亦無通知，似乎守著秘密。這也有必要。但這是同人所決定，還是別人參了意見呢，倘是前者，是解散，若是後者，那是潰散。這並不很小的關係，我確是一無所聞。……好在現在團體己不存在，新的呢，我沒有加入，不再會因我而引起一點糾紛。我希望這已是我最後一封信，舊公事全都結束了。」（註七）

次日，他寫信告訴曹靖華：「此間蓮姊家（左聯隱語）已散，化為傅（東華）、鄭（振鐸）所主持的大家族，實則藉此支持《文學》而已（按：此為傅、鄭主編之刊物），毛姑（茅盾）似亦在內，舊人頗有往者，對我大肆攻擊，以為意在破壞。但他們形勢亦不佳。《作家》，《譯文》，《文叢》，是和《文學》不冾的，現在亦不合作，故頗為傅、鄭所嫉妒，令嘍囉加以破壞統一之罪名。但誰甘為此輩自私者所統一呢，要弄得一團糟的。近日大約又會有別的團體出現。我以為這是好的，令讀者可以比較比較，情形就變化了。」（註八）

鄭振鐸頗前進，以前參加合作，還得到魯迅的贊許；傅東華也是熟人，但一旦主持取代「左聯」的大家族—「中國文藝協會」（茅盾也是發起人之一），魯迅即不能忍。至於他說的「別的團體」，就是他與巴金，胡風、蕭軍夫婦簽名的「中國文藝工作者宣言」（後來不曾組成實質的團體）。

兩個陣容都主張作家組成「統一戰線」，團結抗日—當然先要停止「內戰」，只是文學口號不同而已。在參加人士中，也有兩邊都簽了名的。例如馬子華，先接到「文藝家協會」通知，立即寫信去問魯迅，答覆是「可以參加」，於是簽了名；後來被胡風嘲諷說：「爲什麼不問清楚就鑽進去了？」答以「老頭子」批准，對方才無話說，但又取出魯迅首先簽名的一紙宣言，於是他又再簽一次。（註九）

由這一件事情來看，左翼領導人之間，確有「宗派主義」和「教條主義」的表現。但雙方所守的「教條」是什麼？那要歸根於中共更高階層的歧見—以王明和毛澤東爲代表。

扼要而言，在中共中央領導人的派別中，王明是莫斯科「孫逸仙大學」出身的二十八個「布爾什維克」之一，亦即史大林派所訓練出來的中共領導人，他們這一批「國際派」曾經喧赫一時，但因理論多而經驗少，並且缺乏槍桿子，終於在延安時期，被稱爲「兩湖派」的毛澤東鬥倒。當王明發出「八一」宣言時，挾「國際」之威勢，在陝北的毛澤東們自然聽從，但措辭上就有些修改。馮雪峰自瓦窰堡回到上海，便與胡風商量另立口號，可以說反映帶有槍桿子的領導人的意見。魯迅向來輕視「革命文學家」而傾向實際革命家。因而支持這意見。這一點可以從他將來的言談中看出。

另一點可以引爲佐證的是，「左聯」駐莫斯科的代表蕭三，多年後回憶舊事，對毛澤東不滿王明的態度，描述得相當生動。他說：

「這封主張解散『左聯』的信，是一九三五年共產國際第七次代表大會之後，王明逼迫我寫的」，除了王明的威脅、諷刺、激將等等壓力之外，還有康生來了一套「理論」說服，於是在十一月八日寫了那封由魯迅直轉「左聯」的信；「在延整風、審幹（審查幹部）時期，在批判王明路線的時候，一九四三年一月底，我曾在棗園向毛主席報告：主張解散『左聯』的信是王明逼我寫的。……毛主席才知道：『還是你寫的信呀！那就是和要解散共產黨差不多……（原文）。那就是和「中聯」、「左聯」一起搞啱！』停一會兒又說：『反帝而沒有無產階級領導，那就反帝也不會有了。』毛主席的心和魯迅的心是相通的，於此也可見一斑。」（註一〇）

蕭三於一九七九年作此回憶時，已屆八四歲高齡，言下顯有餘悸，可見毛、王鬥爭之激烈。由是推測，周揚遵守的是當時中共最高領導人的指示，馮雪峰、胡風遵守的是國內實力派的意見。雙方各有所本。但諷刺的是，周揚到延安後曾經擔任「魯迅藝術學院」院長。魯迅地下有知，應必不快。

第二節　魯迅之死

當雙方各提口號，各組陣容時，魯迅的怨意愈深。他在一九三六（民國廿五）年四月五日答王冶秋信中說：「我在這裡，有些英雄責我不做事，而我實日日譯作不息，幾乎無生人之樂，但還受許多悶氣，有時眞令人憤怒，想什麼也不做，因爲不做事，責備反而沒有了……我們×××（原文如此）裡，我覺得實做的少，監督的太多，個個想做『工頭』，所以苦工就更加吃苦。現此翼已經解散，別組什麼協會之類，我是決不進去了。但一向做下來的事，自然還是要做的。」（註一一）

末了那一句，表示不會「轉向」。縱然如此，周揚們並不停止批判，魯迅四月十六日所寫的「三月的租界」，即爲答覆狄克（張春橋）所作「要執行自我批評」一文—它批評蕭軍的《八月的鄉村》，並且諷刺魯迅的爲之作序。

魯迅的反駁，措辭並不尖刻。但在結尾時說：「自然，狄克先生的『要執行自我批判』是好心，因爲『那些作家是我們底』緣故。但我以爲同時可也萬萬忘記不得『我們』之外的『他們』，也不可專對『我們』之中的『他們』。要批判，就得彼此都給批判，美惡一並指出。如果在還有『我們』和『他們』的文壇上，一味自責以顯其『正確』或公平，那其實是向『他們』獻媚或替『他們』繳械。」（註一二）很顯然，魯迅知道對方是戰友，出言頗有分寸。

此外，周揚等還會加他以罪名，他在五月十五日回答曹請華的信中說：「我因不加入文藝家協會（傅東華是主要的發起人），正在受一批人的攻擊，說是破壞聯合戰線，但這類英雄，大抵是一現之後，馬上不見了的。……有些手執皮鞭，亂打苦工的背脊，自以爲在革命的大人物，我深惡之。」（註一三）

五月廿五日，他在回覆時玳信中說：「作家協會已改名文藝協會，發起人有種種。我看他們倒並不見得有很大的私人企圖，不過或則想由此出點名，或者想由此洗一個澡，或則竟不過敷衍面子，因爲倘有人用大招牌來請做發起人，而竟拒絕，是會得到很大的罪名的，即如我即其一例。……我看你也還是加入的好，一個未經世故的青年，眞可被逼得發瘋的。……國防文學的作品是不會有的，只不過攻打何人何派反對國防文學，罪大惡極。……假使中途來了壓迫，指導的英雄一定首先消聲匿跡，或者聲明脫離，和小會員更不相干了。冷箭是上海『作家』的特產，我有一大把拔在這裡，現在在生病，俟愈後，要把它發表出來，給大家看看。……這愛放冷箭的病根，是在他們誤以為做成一個作家，專靠計策，不靠作品的。」（註一四）

魯迅的悲哀憤怒，溢於言表，尤其他屢向友人訴說工頭用鞭子「亂打苦工的背脊」等話，真令人同情他由「梯子」而變成「苦工」的晚景淒涼。但在此時，更發了生一件令他震駭的意外。

該年六月三日，有「陳仲山」致函魯迅，寄來「托派」刊物數份，希望他「批評」他們的政治意見，如有答覆，「私心引為光榮」。魯迅於六月九日將覆信與原函同登在七月份的《文學叢報》月刊第四期，及《現實文學》月刊第一期上，以表心跡。內容大要如下：「總括先生來信的意思，大概有兩點，一是罵史太林先生們是官僚，再是斥毛澤東先生們的『各派聯合一致抗日』的主張為出賣革命。這很使我『糊塗』起來了，因為史太林先生們的蘇維埃俄羅斯社會主義共和國聯邦在世界上的任何方面的成功，不就說明了托洛斯基先生的被逐，飄泊，潦倒，以致『不得不』用敵人金錢的晚景的可憐麼？……其次，你們的理論確比毛澤東先生們高超得多，……無奈這高超又恰恰為日本所歡迎……。最後，我感到一點不舒服，就是你們忽然寄信給我，不是沒有原因的。那就因為我的某幾個『戰友』曾指我是什麼什麼的原故。但我，即使怎麼不行，自覺和你們總是相離很遠的罷。那切切實實，足踏在地上，為著中國人的生存而流血奮鬥者，我得引為同志，是自以為光榮的。」（註一五）

這信顯示：第一，早有「戰友」指他爲托派；第二，疑心陳仲山是化名而又像陳仲甫（獨秀），或許正是「戰友」們對他的試探。因此他堅決地表示，願引「爲中國人流血奮鬥者」爲同志。此他時已病入膏肓，不能執筆。這信是由他口授而馮雪峰代筆的。事後得知，來信者眞名陳其昌，是托派臨時中央委員會的委員。他的致信魯迅求取同情，可謂不識大體。

在魯迅臨終前不久使他愈爲震怒的，是被他拒絕「舊公事」往來的徐懋庸。八月一日，徐突然寄來一信，首先探問魯迅的病情，然後說：「在目前，我總覺得先生最近半年來的言行，是無意地助長著惡劣的傾向的。以胡風的性情之詐，以黃源的行爲之諂，先生都沒有細察，永遠被他們據爲私有，眩惑群眾，若偶像然，于是從他們的野心出發的分離行動，遂一發而不可收拾矣」。談到胡風所提的「民族革命戰爭的大眾文學」口號時，他批評胡風的理論「前後矛盾，錯誤百出」，「如此搖搖蕩蕩，即先生亦不能替他們圓其說。對於他們的言行，打擊本極易，但徒以有先生作他們的盾牌，人誰不愛先生，所以在實際解決和文字鬥爭上都感到極大的困難。……我覺得不看事而只看人，是最近半年來先生的錯誤的根由。先生看人又看得不準」；徐並舉他自己因寫字糊塗被責爲例，說道：「爲此小故，遽拒一個人於千里之外，我實以爲不對。」最後，他還希望魯迅將來細看並批評他即將出版的《斯太林傳》。（註一六）這信中還有一些未曾摘引的句子，可由魯迅的覆函中看到。

魯迅得信大怒，扶病寫七千多字長信「答徐懋庸並關于抗日統一戰線問題」，附來函於文首，逐條駁斥。首先說明未經同意而公開來信，「因爲其中全是教訓我和攻擊別人的話」，發表出來可能是徐的原意。然後說：「這封信是有計劃的，是他們向沒有加入『文藝協會』的人們的新的挑戰，想這些人們去應戰，那時他們就加你們以『破壞聯合戰線』的罪名，『漢奸』的罪名。……首先是我對於抗日的統一戰線的態度。其實，我已經在好幾個地方說過了，然而徐懋庸等似乎不肯去看一看，卻一味的咬住我，硬要誣陷我『破壞統一戰線』硬要教訓我說我『對於現在基本的政策沒有了解』。我不知道徐懋庸們有什麼『基本的政策』。……然而中國目前的革命的政黨向全國人民所提出的抗日統一戰線的政策，我是看見的，我是擁護的，我無條件地加入這戰線。……那種表面上扮著『革命』的面孔，而輕易誣蔑別人爲『內奸』，爲『反革命』，爲『托派』，以至爲『漢奸』者，大半不是正路人。……老實說，我甚至懷疑過他們是否係敵人所派遣……。」

談到「民族解放戰爭的大衆文學」口號時，他說係由他與茅盾等人所商定，不是胡風所擬。至於胡風之被疑爲奸細，他道：「胡風我先前並不熟識，去年的有一天，一位名人約我談談話了，到得那裡卻見駛來了一輛汽車，從中跳出四條漢子：田漢，周起應，還有兩個（夏衍，陽翰笙），一律洋服，態度軒昂，說是特來通知我：胡風乃是內奸，官方派來的」。因證據薄弱之極，他不相信。接著他追述往事，道：「在左聯成立的前後，有些所謂革命作家，其實是破落戶的漂零子弟。他也有不平，有反抗，有戰鬥，而往往不過是將敗落家族的婦姑勃谿，叔嫂鬥法的手段，移到文壇上。嘁嘁嚓嚓，招是生非，搬弄口舌，決不在大處上著眼。這衣缽流傳不絕」。說到來信所稱打擊胡風等本極容易時，他反問：「什麼是『實際解決』？是充軍，還是殺頭呢？」最後說：「抓到一面旗幟，就自以爲出

人頭地，擺出奴隸總管的架子，以鳴鞭爲唯一的業績—是無藥可醫，於中國也毫無用處，而且還是有害的」。（註一七）

在這封以對答口吻所寫的長文中，他反復懇切說明了他對「中國目前的革命政黨向全國人民所提出的抗日統一戰線的政策」的擁護，以及他的「無條件地加入」；他申言兩個文學口號並不矛盾，但新口號可以「糾正一些注進『國防文學』裏的不正確的意見」；他解釋說，胡風、巴金、黃源都是「新近才認識」但「已可以說是朋友」的人，他們應非內奸一流；「而對於周起應（揚）之類，輕易誣人的青年，反而懷疑以至憎惡起來了。自然，周起應也許別有的優點。也許後來不復如此，仍將成爲一個眞的革命者」。

對於自從一九三三末即有往來，並且曾予關注與協助的「胡塗」青年徐懋庸，魯迅仍留有一些餘地，認爲尙未「墜入最末的道路」。可以說，他的怨怒猜疑是集中在周揚爲首一向中傷打擊他的「戰友」，而徐懋庸只不過是「奉諭」行事而已。如果把答托派信和答徐懋庸書作一比較，對前者是對事也對人；後者是對人不對事，而人指的是「嘁嘁嚓嚓」的「破落戶漂零子弟」。

儘管他在上述的公開信中措辭尙有其敦厚溫柔，私下卻餘怒不息。

八月廿五日，他函告歐陽山：「但我也眞不懂徐懋庸爲什麼竟如此昏蛋，忽以文壇皇帝自居，明知道我病到不能讀寫，卻罵上門來，大有抄家之意，……擬收集材料，待一年半載後，再作一文，此輩的嘴臉就更加清楚而有趣了。」（註一八）

同月廿八日，他致函楊霽雲，談到群仙「圍剿」，以及徐懋庸「明知我不久之前病得要死，卻雄糾糾首先打上門來」一事，結論說「寫這信的雖是他一個，卻代表着某一群，試一細讀，看那口氣，即可了然。」（註一九）

九月十五日，他在答王冶秋信中說：「這裏有一種文學家，其實就是天津之所謂青皮，他們就專用造謠，恫嚇，播弄手段，張網以羅致不知底細的文學青年，給自己造地位；作品呢，卻並沒有。眞是惟以嗡嗡營營爲能事。如徐懋庸，他橫暴到忘其所以，竟用『實際解決』來恐嚇我了，則對於別的青年，可想而知。他們自有一伙，狼狽爲奸，把持著文學界，弄得烏煙瘴氣。我病倘愈，還要給予暴露的，那麼，中國文藝的前途庶幾有救。」（註二〇）

可惜天不假年，他沒有時間作此挽救中國文藝前途的暴露。但按照以往的《三閑》、《二心》等集，以及譏責「革命文學家」的言談來看，他確守着一條原則：「罵太監，不罵皇帝」。（註二一）因此，如果他眞把那些「冷箭」都暴露出來，讀者將對中共作何看法，固然是一個今日無法反推的問題。但對整個中共來說，他的態度從沒有一點「朦朧」，而是十分明確。就以兩個文學口號而言，無論贊成那一個，結論都是一樣—使中共的革命「一日千里」。

附帶說明一個末節問題—徐懋庸是否眞如魯迅所說的「代表一伙」而「打上門來」。曾任「左聯常委會秘書」，與魯迅有通信來往，且在徐懋庸寫信時奔走於徐與周揚之間的沙汀（楊子青），有如下的回憶：

「在魯迅『答徐懋庸並關於抗日統一戰線問題』的公開信發表後，凡是和我比較接近的領導同志和一般同志，都對懋庸同志那封寫給魯迅的信感到極大不滿！接着，『左聯』黨團負責同志還要我約茅盾同志在環龍路我家裡作過解釋，並託請茅盾同志就近轉告魯迅先生，希望求得魯迅先生諒解。只是因爲問題比較複雜，沒有結果。

「徐懋庸在他給魯迅寫信之後（按：這指前引魯迅答以舊公事全了的那一封），就回浙江老家去了。而在讀了魯迅先生那封回信後，他又立刻回轉上海。不久，他去環龍路看我，說他讀了那封公開信後痛哭了兩三場。……這也說明，盡管做了胡塗事情，他是熱愛魯迅、尊敬魯迅的」；同時，徐懋庸還「帶來一封回答魯迅公開信的『公開信』」要求一定要發表。當勸阻無效時，沙汀帶他去見周揚。周揚反對得更堅決，以致「不歡而散」。但徐終將該信發表在《今代文學》，「引起文藝界很大震動、不滿。……直到魯迅先生答徐懋庸那封公開信在孟十還主編的《作家》上發表後，我所接近的一些同志的情緒都有了顯著變化。主要是焦急，因爲誰也沒有料到『民族革命戰爭的大眾文學』這個口號是魯迅先生提出來的！同時也責怪徐懋庸的顢頇。但還有更叫人焦急乃至憤懣的，聽說中央已從陝北派人到上海了，一些負責同志可老接不上頭！……在文委其他同志同中央的代表接上關係不久，周揚同志便沒有管工作了。而他給我的印象是：有些苦惱、消沉。……他顯然被撤了職，因爲當我先他離開上海回轉四川，動身前要他爲我轉黨的關係的時候，他卻要我找夏衍同志。」（註一二）

說魯迅不接受茅盾的勸解，不是意外之事。說周揚撤職，於筆者尙屬初次聽到。至於解除周揚職務的中央代表是誰？難道是馮雪峰？此時他早已來滬，首先找到魯迅再與他人連絡。是他以代表身份撤換了周揚嗎？這一重公案尙待探索。可是，此時一度消沉苦惱的周揚，後來在延安擁護毛澤東的「文藝講話」，日後更鬥倒了馮雪峰與胡風，卻是事實。

一九三六（民國廿五）年十月十九日，魯迅病故，享年五十有六。此時，「左聯」業已如他說的「潰散」，改組成他不願意包括國民黨和「轉向」人士在內的「統一戰線」。何以他如此反對國民黨呢？根據馮雪峰的回憶，魯迅曾經當面告訴他：「我不是別的，就只怕共產黨又上當。」（註二三）

此時的中國，外有日本的侵凌，內有中共的「長征」；此時的中共，連陝北的保安，也幾被政府軍攻下。可是，這年十二月十二日發生了「西安事變」。

【附註】

註　一：梅志《往事如煙——胡風沉冤錄》，台北：曉園出版社，一九九〇年二月初版，第三九三—三九四頁。

註　二：同註一，第三八八頁

註　三：「魯迅著譯年表」，全集第十六卷，第三六——三七頁

註　四：同註一，第三九六頁。

註　五：《左聯回憶錄》（上），第三八二頁。

註　六：林非《魯迅傳》，第三五八頁。

註　七：《書信》，全集第十三卷，第三六五頁。

註　八：同註七，三六六頁。

註　九：《左聯回憶錄》（上），第三二三——三三四頁。

註一〇：同右註，第一八〇——一八一頁。

註一一：《書信》，全集第十三卷，第三四九——三五〇頁。

註一二：《且介亭雜文》，全集第六卷，第五一三——五一五頁。

註一三：同註一一，第三七九頁。

註一四：同註一一，第三八三——三八五頁。

註一五：《且介亭雜文末編》，全集第六卷，第五八六——五八九頁。

註一六：同註一五，第五二六——五二八頁。

註一七：同註一五，第五二八——五三八頁。

註一八：《書信》，全集第十三卷，第四一一頁。

註一九：同註一八，第四一六頁。

註二〇：同註一八，第四二六頁。

註二一：鄭學稼《魯迅正傳》，第一六九頁。

註二二：「一個左聯盟員的回憶瑣記」，《左聯回憶錄》（上），第二二〇——二二四頁。

註二三：「回憶魯迅」，轉引自《魯迅正傳》，第四五五頁。

第十章　魯迅其人

關於魯迅之何以加入「左聯」，有各種的論斷。中共人士的意見是完全一致的，毋須複述。除此以外，「一個世上頗為流行的說法，說魯迅的加入『左聯』，是魯迅的投靠共黨。或向共黨投降。……眞象是共黨預為佈置的陷阱，對魯迅有計劃的捕捉的成功。在魯迅自己，他不但不認為自己向共匪投降，也不認為自己被共黨捕捉，反而覺得是自己勝利，是敵人向自己投降了。」（註一）

這個分析是相當平實合理的。從他的「對於左翼作家聯盟的意見」，以及致章廷謙信中自稱甘冒「作梯子之險」，都可看出初入「左聯」時的勝利感。但以魯迅的個性與當時的社會地位，加以他的犀利文筆，他曾稱之為「空成計」的圍剿，如非互有默契的彩排，實不足以使他屈服。因此，他與中共作家的合作，及不歡而散，都應有先天的因素。

就中共的黨而言，那因素非常簡單，正如李富春所說的，爭取魯迅過來，將對左翼文化產生「巨大的影響和作用」；就中共作家而言，不少人熱愛魯迅，奉之為師。但是他們還有「黨性」並受「鐵的紀律」的約束，不能獨行其是，無論是捧是罵，都得奉命而行。甚至多年之後，還要壓抑自己的觀感。

在魯迅這方面，諸多因素，殊難一言蔽之。人們對於環境中必然與偶發事件的反應，總以他的心態爲根基。本文擬擇要引述他的言行，對之試作探討。

第一節 魯迅的基本心態

民國七年（一九一八）八月廿，日他在致許壽裳信中，由人事上省籍歧視一事，談到國事，說：「歷觀國內無一佳象，而僕則頗思變遷，毫不悲觀。蓋國之觀念，其愚亦與省界相類。若以人類爲着眼點，則中國若改良，固足爲人類進步之驗（以如此國而能改良故）；若其滅亡，亦是人類向上之驗，緣如此國人竟不能生存，正是人類進步故也。大約將來人道主義終當勝利，中國雖不改進，欲爲奴隸，而他人更不欲用奴隸；……如是數代，則請安磕頭之癮漸淡，終必難免於進步矣。此僕之所爲樂也。」（註二）

在這裏，魯迅一方面表示對於國家改進可抱樂觀，但這樂觀生於中國若亡，也是整個人類的進步，而且奴隸性强的中國，可因別人不讓它做奴隸而擺脫奴性。可以說，他認爲改比不改好——亦即凡是「革命」就好，不必顧慮那是什麼革命。同時，此刻他的觀點，就是日後稱爲「偏頗」的進化論，並且也是「人道主義」性質。

早在這一天四月間，他發表了「狂人日記」。其中「吃人的禮教」和「救救孩子」是響亮的口號。前者是他要改革的舊社會殘渣，後者他要拯救的對象。

但對於民國初年的中國，他有美好的回憶。民國十四年（一九二五）三月卅一日，他在致學生許廣平信中表示：「談起民元的事來，那時確實光明得多，當時我也在南京教育部，覺得中國將來很有希望。自然，那時惡劣分子固然也有的，然而他總失敗。一到二年革命失敗之後，即漸漸壞下去，壞而又壞，遂成了現在的情形。……最初的革命是排滿，容易做到，其次的改革是要國民改革自己的壞根性，於是就不肯了。所以此後最要緊的是改革國民性，否則，無論是專制，是共和，……全不行的。……在中國活動的現有兩種『主義者』，外表都很新的，我研究他們的精神，還是舊貨，所以我現在無所屬，但希望他們自己覺悟，自動的改良而已。」接著他批評「世界主義者」同志打架，「無政府主義者」用僱兵守門，連土匪也只抱「發財主義」不能劫富濟貧。至於他自己，則想用筆墨，「對於所謂舊文明，施行襲擊，令其動搖，冀於將來有萬一之希望。而留心看看，居然也有幾個不問成敗而要戰鬥的人，雖然意見和我並不盡同，但這是前幾年所沒有的。……要成聯合戰線，還在將來。」

同時他表明：「希望我做一點什麼的人，也頗有幾個了，但我自己知道，是不行的。凡做領導的人，一須勇猛，而我看事情太仔細，一仔細，即多疑慮，不易勇往直前，二須不惜用犧牲，而我最不願別人做犧牲（這其實還是革命以前的種種事情的刺激結果），也就不能有大局面。」（註三）

這時他認為，改革在於「革心」—革除國民壞根性。至於政體，若不能改革民性，則無論專制、共和都不行。假如把他的話顚倒過來，則只要能夠改革民性，任何政體都可以。提到當時活動的「兩種主義者」，應指三民主義與共產主義而言，因爲此時正是國共合作之際。但他認爲它們的精神還是舊的，所以無所歸屬。由是可以推想，在他到廣州前後，並無政治傾向。（筆者之所以作此推論，因爲中共出版的註釋本對這重要的詞句未作解說，其實一問許廣平，便見分曉。）至於想與之組成「聯合戰線的對象，」可以包括民國十年（一九二一）左右成立的「創造社」和「文學研究會」（茅盾、鄭振鐸、葉紹鈞等所創）。

同年四月八日，他函告許廣平，其中强調：「改革最快的還是火與劍。」並且舉例說：「孫中山奔波一世，而中國還是如此者，最大原因還在他沒有黨軍，因此不能不遷就有武力的別人。近幾年似乎他們覺悟了，開起軍官學校來，惜已太晚。……我現在還在尋有反抗和攻擊的筆的人們，再多幾個，就來『試他一試』，但那效果，仍然還在不可知之數，怕也不過聊以自慰而已。所以一面又覺得無聊，又疑心自己有些暮氣。」（註四）

四月十四覆廣平信中，他還强調「韌」，說道：「要治這麻木態度的國家（中國），只有一法，就是『韌』，也就是『鍥而不舍』。……這雖然近於勸人耐心做奴隸，而其實不同，甘心樂意的奴隸是無望的，但若懷著不平，總可以逐漸做些有效的事」；談到宣傳的功能，他說：「我有時以爲『宣傳』是無效的，但仔細想起來，也不盡然。……則此後的第一要圖，還在充足實力，此外各種言動，只能作輔佐而已。」（註五）

魯迅雖然常說文章是不中用的人做的，那是謙虛之詞。在上引兩信中，他認爲宣傳可作火與劍的輔佐，亦即槍與筆雙管齊下。

五月三日致廣平信中，因事談到政局，批評說：「……現在的有權者，是什麼東西呢？……我以爲只要目的是正的——這所謂正不正，又只專憑自己判斷——即可用無論什麼手段……。此我所以指窗下爲活人之墳墓，而勸人們不必多讀中國之書也。」（註六）勸人不多讀中國書，是當時流行的口號。至於他說的全憑自己的判斷而又可不擇手段，是狂熱改革者的心態。那能使他不僅不擇手段，並且不擇方向。

五月十八日致廣平信，其中對「群衆」和「公理」有所評論：「群衆不過如此，由來久矣，將來也恐怕不過如此，公理也和事之成敗無關。」然後說：「我現在愈加相信說話和弄筆的都是不中用的人……。然而，世界豈不過如此而已麼？我要反抗，試他一試。」（註七）既不相信群衆而又高談「大衆」、「人民」、「無產階級」等等，難免成爲違心之論。可以說，魯迅只是某種類型的「菁英主義者」，而他是菁英之一。

同年七月廿九—三〇日，他致廣平信中又談到民國元年舊事，說道：「民元革命時，對於任何人都寬容（那時稱爲『文明』），但待二次革命失敗後，許多舊黨對于革命黨卻不『文明』了：殺。假使那時（民元）的新黨不『文明』，則許多東西早已滅亡，那裡會來發揮他們的老手段。」（註八）由此可知，魯迅並不反對殺人，但看誰殺誰而已。他日後極力抨擊他所謂的「南京政府」大殺「革命黨」，卻隻字不提中共歷次「暴動」的「燒殺政策」，以及中共在上海組成「紅隊」暗殺疑爲背叛的同志。正是依照他自己的標準和立場說話。

民國十五年（一九二六），他到廈門大學任教，漸近國共合作的基地廣東。十月十日致廣平信，談到當地慶祝雙十節的情況：「此地的人民的思想，我看其實是『國民黨』的，並不怎麼老舊。」（註九）此時他對國民黨頗有好感。

同年十一月十五日，信中告訴廣平，他思考未來可走的三條路：「（一）死了心，將來什麼都不做。……（二）再不顧自己，爲人們做些事，將來餓肚也不妨，也一任別人唾罵。（三）再做一些事，倘連『同人』也都從背後槍擊我了，爲生存和報復起見，我便什麼事都敢做，但不願失了我的朋友。第二條我已經行過兩年了，終於覺得太傻。前一條當先托庇於資本家，恐怕熬不住。末一條則頗險，也無把握（於生活），而且又略有所不忍。」（註一〇）從日後事實來看，他到上海後，既曾托庇於蔡元培的聘用，也曾在第二、三條路上盤旋。

十一月廿八日，他從廈大致書廣平，自謂其一生失計，乃在向不爲自己生活打算，因爲預料活不多久（久患肺病）。後來卻活了下去，但十分無聊：「再後來，思想改變了，但還是多所顧忌，這些顧忌，大部分自然是爲生活，幾分也爲地位，所謂地位者，就是指我歷來的一點小小工作而言，怕因爲我的突變而失去力量。……離開此地之後，我必須改變我的農奴生活；爲社會方面，則我想除教書外，仍然繼續作文藝運動，或其他更好的工作……。」（註一一）

十二月二日，再從廈大致信廣平：「我現在對於做文章的青年，實在有些失望；我看有希望的青年，恐怕大抵去打仗了（指北伐），至於弄筆墨的，却還未遇著眞有幾分爲社會的，他們多是掛新招牌的利己主義者，而他們竟自以爲比我新一二十年，我眞覺得他們無自知之明，這也就是他們之所以『小』的地方。」（註一二）

魯迅於民國十六年（一九二七）一月十九日來到中山大學，任文學系主任兼教務主任。四月十五日，國民黨清共，共黨及親共學生有被補者。他在當日參加校內緊急會議，有意營救被捕學生，四月廿一日曾提辭呈，但到九月廿七日纔離廣州赴上海。他在中大時，國民黨及「以個人身份參加國民黨」的跨黨共產黨人，都與他有往來。他無所依屬，雖然事後說是「被血嚇得目瞪口呆」而離開廣州的，試讀他的《日記》，可知那是修辭上的夸飾。

依中共及親共者的說法，魯迅在中大就親「左」反「右」。那也是日後的誇張。日本記者山上正義問他對於廣州的看法時，他答道：「廣州的學生和青年都把革命戲劇化了，正受著過分的嬌寵，使人感覺不到眞摯和嚴肅。……在廣州，盡管有絕叫，有怒吼，但是沒有思索。盡管有喜悅，有興奮，但是沒有悲哀。沒有思索和哀悲的地方，就不會有文學。」（註一三）山上正義是日本共產黨員，魯迅此時雖未必知道他的身份，但若有意美化中共的形象，可以說得更好一點。

當時的中共學生回憶說：「…那時候像我這樣的青年，理論水平低，頭腦也簡單得可以，……魯迅就不那麼簡單看問題。……他在廣州的時候，無論講演或者寫文章都十分愼重。這完全是正確的。

這是革命鬥爭的策略。」可是若干中共青年卻以為魯迅膽小，乃至寫了「魯迅先生往那裡躲」的文章批評他。（註一四）

同類人士說：「國民黨也企圖爭取魯迅，寫歡迎魯迅的文章」，並且「糾合一伙共產黨的叛徒組織所謂『革命文學社』，辦了一個刊物叫《這樣做》，和我們的《做什麼？》唱對台戲，污蔑攻擊我們。」（註一五）

總之，魯迅與兩黨人士及青年都有往來。他的「愼重」，與其說是「革命鬥爭的策略」，不如說是置身事外。那時他對「革命文學」的批評，是依自己的文藝觀點發言，可以說是左右開弓，也可說是自說自話。但卻引起要自居「革命文學」正統者的敏感。

職是之故，敗退上海的中共作家要「圍剿」他，不論是遵命行事，或自動自發。另方面，決心要用「筆墨」去「襲擊舊文明」，「改革國民性」，因而願與意見「並不盡同」，但能「不問成敗而要戰鬥的人」組成「聯合戰線」的魯迅，纔會跟郭沫若等的「創造社」籌備復刊。至於「創造社」何以化友為敵，群起攻他，令人費解。

回溯當年，中共作家圍剿魯迅之時，他們還以茅盾為目標，大施撻伐。茅盾（沈雁冰）是中共第一代的黨員，其所以被攻，可能由於他在「清共」後一度逃往東京；在民國十七年（一九二八）夏季，又完成了《幻滅》、《動搖》、《追求》三部曲（總名為《蝕》）。《幻滅》描寫的是從「容共」到中共初期暴動失敗後，「革命」青年所感到的幻滅，頹廢；《追求》執筆時又在「廣州暴動」之後；書中「革命」知識青年的失望、悲觀、苦悶、尤勝前者。雖然它們是聞者足戒的檢討，但不利於中共的革命發展。因此，茅盾的遭遇批判，可謂事出有因；但魯迅之被攻，卻理由不足。於是，就資料而言，只有他的受聘於政府機關，以及在暨南大學講演時，以言賈禍。

總之，無論中共是怎樣以及何時與魯迅建立合作協定，魯迅的心態是達成合作的基礎。

第二節　魯迅筆下的孫中山與國民黨

魯迅對民國元年有美好的回憶，對孫中山卻有先後不同的評價。

民國十五年（一九二六）三月十日，他在北京寫了「中山先生逝世後一週年」，它說：「中山先生逝世無論幾週年，本用不著什麼紀念的文章。只要這先前未曾有的中華民國存在，就是他的豐碑，就是他的紀念。

「凡是自承爲民國的國民，誰有不記得創造民國的戰士，而且是第一人的？但我們大多數國民實在特別沉靜，眞是喜怒哀樂不形於色，而況吐露他們的熱力和熱情。因此就更應該紀念了……。

「記得去年逝世後不久，甚至於就有幾個論客說風涼話。是憎惡中華民國呢，是所謂『責備賢者』呢，是賣弄自己的聰明呢，我不得而知。……他是一個全體，永遠的革命者。無論所做的那一件，全都是革命。無論後人如何吹求他，冷落他，他終於全都是革命。」（註一六）

民國十七年（一九二八）四月十日，他在上海寫了本文所曾略引的「太平歌訣」。該文專談南京建造中山陵時發生的民謠，其中一首是：「你造中山墓，與我何相干？一叫魂不去，再叫自承當」。他評論道：「這三首中的無論那一首，雖只寥寥二十字，但將市民的見解：對於革命政府的關係，對於革命者的感情，都已經寫得淋漓盡致。雖有善於暴露社會黑暗的文學家，恐怕也難有做到這麼簡明深切的了。『叫人叫不著，自已頂石墳』（按：民謠之一），則竟包括了許多革命者的傳記和一部中國革命的歷史。」（註一七）

將這一段與前一段對照，未免自相矛盾。此時，他正在革學文學家「圍剿」之下，也就是中山先生逝世的第三年。

到了民國二十四年（一九三五），他在二月廿四日覆楊霽雲信中說：「中山革命一世，雖只往來於外國或中國之通商口岸，足不履危地，但究竟是革命一世，至死無大變化，在中國總還算是好人。」（註一八）中山一生無大變化，但在他心目中，已由「創造民國的戰士」變爲「總還算是好人」。此時正是他與「左聯」共黨作家內鬨的時候。

「清共」後的國民黨是他攻擊的主要目標，散見於許多雜文，不勝枚舉。因爲如不以它爲目標，他就不能爲中共作宣傳。但他偶爾也有表示諒解的話；例如他在被通緝之後，在寫給許壽裳的信中說：「我所抨擊的是社會上的種種黑暗不是專對國民黨，這黑暗的根源，有遠在一二千年前的，也有在幾百年，幾十年前的，不過國民黨執政以來，沒有把它根絕罷了。」（註一九）

附帶說明，那份通緝令可以說是象徵性的警告。他在一九三一年（民國二十年）三月六日李秉中信中說：「近數年來，上海群小，一面於報章及口頭盛造我之謠言，一面又時有口傳，云當局正在索我甚急云云。今觀君所述友人之言，則似固未嘗專心致志，欲得而甘心也。此間似有一群人，在造空氣以圖構陷或自快。但此輩爲誰，則無從查考。」（註二〇）

針對國民黨的激烈攻擊，每見於他他向外國發表的文章──如前引寄往美國發表的「黑暗中國的文藝界的現狀」，及寫給外國友人的書信，例如他向日人增田涉說：

「國民黨把有爲的青年投入陷阱。最初，共產黨是火車頭，國民黨是列車，革命是由共產黨領導成功的，或許說共產黨是革命的功臣。所以學生們在鮑羅廷之前行了最敬禮。青年們也誰都感激著共產黨。但這回卻正因爲他們是共產黨而把他們殺戮。……國民黨所採取的手段卻令人髮指。……對於這樣的國民黨，我誠異常的憎恨。」（註二一）

對於魯迅的指控，本文限於範圍，不能詳論，僅對鮑羅廷、中共是「火車頭」、國民黨殺共產黨，略引張國燾的話作爲反證。張氏是北大學生，中共第一次全國代表大會主席，抗戰時期曾任「陝甘寧邊區政府主席」（在毛澤東之前），民國廿七年（一九三八）脫離共黨。他說──

一、在一九二六初，大多數中共中央人員，以陳獨秀爲首（包括張氏）認爲鮑羅廷的所謂進攻政策，勢必導致（一）「中共霸佔國民黨中央的領導硬幹下去，身居領導之銜，卻無軍事實力做後盾」；（二）「中共軟化下來再也不談獨立的政治面目……降格之外還要自食苦果。如果否定鮑羅庭的意見，照中共中央原定的政策進行下去，勢將走到退出國民黨之一途。……中共中央自始就有尊重莫斯科的傳統，對此也祇好安之若素了。中共中央不能根據自己所瞭解的情況，獨立自主的速決速行，而要聽命於遠在莫斯科，對中國實情又十分隔閡的共產國際；這是一切困難的主要根源。……」一九二六年七月時，「大多數中共中央領導人，對北伐的估計未免過低。他們認爲北伐軍能否打到武漢，大有問題。……不久，事實證明中共中央多數的估計是錯了。北伐軍……直指武漢。中共中央這纔在這劇變中，逐漸改變對北伐的觀點；採用較積極的政策，但已經是落後一步了。在此時期，我是中共中央動員中共黨員參加北伐戰爭惟一的負責人。」（註二二）

中共及親共人士都以民國十六年（一九二七）的「四·一二」作爲國民黨殺共產黨的時間分野。可見此前的國民革命軍仍如魯迅所說的「文明」。事實上，在北伐途中以國民黨名義首開殺戒的是共產黨人。張氏回憶說：

「國民黨重視農民運動的政策，頗有表現。……國民黨在農民運動上與中共一直處於競爭的地位。……國民黨人總認爲農民運動應由國民黨名符其實的加以領導；而中共表面雖然服從國民黨的領導，但實際上則有當仁不讓的氣慨，在手段上，國民黨側重由政府自上而下，以法令來改善農民的生活，中共則看重自下而上，發動農民鬥爭。……湖南農民運動發展得最快，規模也最大。……一九二六年底，湖南農民運動過激之說」，開始流傳，「湖南農運代言人毛澤東」反對此說，他曾提出兩句名言：「有土皆豪，無紳不劣」和「矯枉必須過正」。「槍斃土豪劣紳，也是常有的事，其中最著名的一樁，就是以舊學著稱的湖南清末遺老葉德輝之被處決。……審判土豪劣紳的方式，多舉行群眾大會進行。在大會中只要有一個人認定被審判者是土豪劣紳，往往無人敢加以反對。懲罰的方法，愈激烈就愈容易通過。這與法國大革命時，國民會議審判貴族的情景，人同而小異。」張氏並舉一例，後來以「立三路線」聞名的李立三，他的父親是一位「溫文爾雅、態度嚴肅、心地善良的老人」，也以土劣罪名被殺。（註二三）

總之，中共認為擁有湖南全省人口半數以上的「農民協會」運動，由於殺人盲動，引起農民本身的不滿，駐守長沙的許克祥團長以一千槍桿，發起「馬日事變」，立即土崩瓦解。其他如「八一南昌暴動」、「海陸豐暴動」、「廣州暴動」等的殺人放火，可從中共早年的原始資料—而非日後的「光輝歷史」中，找到實況。（註二四）

至於像顧順章的滅門慘案，被殺者全屬無辜，此事在上海喧騰一時，魯迅豈能不知。楊邨人的「赤區歸來記」寫的是親身遭遇，卻為魯迅所譏諷。那都是為了「宣傳」，不擇手段的實例。然而，「左聯」的「元帥」竟然還用鞭子打他這樣的「苦工」。

第三節　魯迅的「革命文學」與文學成就

魯迅對文藝可說是異常執著的。他對它的本質有熱愛—於是成為他的生活的大部分；他對它的功能有信心—認爲可用文學完成革命；他對卓越的文藝理論家或作家有信仰—崇奉他們爲楷模。

早在他於光緒卅三年（一九〇七）所作的「摩羅詩力說」中，即已盛稱文學與思想相輔爲用的偉大力量，並且推崇拜倫、雪萊、普式庚等人，說這類人物「好敵崇力，遇敵無所寬假」，「凡爲偉人者無不如是」；皆因「時既艱危，性復狷介，世不愛彼，而彼亦不愛世，人不容彼，而彼亦不容人」，是以「無不剛健不撓，抱誠守眞，不取媚於群，以隨舊俗；發爲雄聲，以起其國人之新生，而大其國於天下。求之華土，孰比之哉？」（註二五）

以上所括引的一些特性，日後魯迅似曾有意模倣。當他接觸到蘇俄文藝理論後，他固然引進盧那查爾斯基、普列漢諾夫等的理論，但在「無產階級文學」這觀念上，却始終不脫托洛茨基的色彩，儘管他批評托洛茨基「被逐潦倒」，儘管他承認將來會有「第四文學」。除了他在黃埔軍校和暨南大學的講詞等外，他在民國十四年（一九二五）曾引托洛茨基的話，說明何爲革命藝術：

「即使主題不談革命，而有從革命發生的新事物藏在裡面的意識貫著者是；否則，即使以革命爲主題，也不是革命藝術。」（註二六）

這是托洛茨基《文學與革命》中的警句。他在民國十五年七月就曾翻譯該書的一部分。文藝可以促成革命，亦即說從事這樣的文學就是推行革命。在這種文學當中，凡是暴露現實社會的黑暗與缺點者即屬其一。對這方面，魯迅優爲之，《吶喊》、《徬徨》可稱代表性的傑作，並且他也鼓勵別人去做。

另一種，就是他引以自豪的「匕首、投槍」——雜文。雖則他的革命文學「戰友」瞿秋白說它「不能夠代表創作」，（註二七）他也表示同意，但仍然認為「它給人的愉快和休息是休養，是勞作和戰鬥之前的準備」。（註二八）

中共利用他在參加「左聯」前的作品，一如俄共之利用普希金、屠格涅夫、杜思退也夫斯基、托爾斯泰、高爾基等人的作品充當開路先鋒。而在他參加以後，除了曾經請他寫「蘇區」紅軍反圍剿的情況以外，只希望他作宣傳文字。而他除雜文以及自承內容多屬「油腔滑調」的《故事新編》以外，也無創作。於是他努力譯書。但他認為利人利己的蘇俄文藝名作，卻難為中共文藝指導者所接受。

已被斯大林鬥倒的托洛茨基不必談。可稱為列寧的老師的普列漢諾夫（一八五六——一九一八），晚年已與列寧決裂，成為「孟什維克」的指導人。他那運用「唯物史觀」為基礎，但强調藝術自由的論點，早被俄共當權派加以批判。盧那查爾斯基（一八七五——一九三三）則折衷於「托派」的否定「無產階級文化（文藝、文學）」與肯定那種文化的一派之間，成為「調和派」。他也遭到斯大林的批鬥。總之，這些名著在「左聯」成立之初，還可為中共領導所接受，但愈來愈成為反動性質。至於魯迅所譯的蘇俄「同路人」的文學作品，也是一樣。（註二九）

對他鍥而不捨，大譯不符斯大林路線的蘇俄作品一事，「左聯」幹部雖未明言，卻有暗箭。因此他曾表白說：

「將近十年沒有創作，而現在還有人稱我為『作者』，卻是很可笑的」，繼而申辯道：「……我確曾認眞譯著，並不如攻擊我的人們所說的取巧，的投機。所出的許多書，功罪姑且弗論，即是全是罪惡罷，但在出版界上，也就是一塊不小的斑痕，要『一腳踢開』，必須有較大的腿勁。……而最壞的是他們自己又忽而影子似的淡去，消去了。……對於爲了遠大的目的，並非因個人之利而攻擊我者，無論用怎樣的方法，我全都沒齒無怨。但對於只想以筆墨問世的青年，我現在卻敢据幾年的經驗，以誠懇的心，進一個苦口的忠告。那就是：不斷的（！）努力一些，切勿想以一年半載，幾篇文字和幾本期刊，便立了空前絕後的勛業。還有一點，是：不要只用力於抹殺別個，使他和自己一樣空無，而必須跨過前人，比前人更加高大。……並不明白文藝的理論而任意做些造謠生事的評論，寫幾句閒話便要撲滅異己的短評，譯幾篇童話就想抹殺一切的翻譯，歸根結蒂，於己於人，還都是『可憐無益費精神』的事。」（註三〇）

由這些話，可見魯迅在文學方面的「韌」。總括言之，他的文學成就，已有一致的定評。現在略舉一二。

以撰寫《魯迅評傳》自豪，且獲周作人首肯的曹聚仁特別指出：「那位和魯迅有些寃仇似的蘇雪林說得最好。他說魯迅的小說藝術的特色，最明顯的有三點：（一）用筆的深刻冷儁，（二）句法的簡潔峭拔，（三）體裁的新穎獨創。」（註三一）

除了小說，一生反共、反魯的蘇雪林更稱讚魯迅的《野草》集，是「一半散文詩，一半美的小品文的著作。……冷峭精警，遒練幽麗，……不但爲舊文學所無，也爲新文學罕有。」（註三二）

認爲魯迅不是革命家、思想家，因而兩度撰寫《魯迅正傳》的鄭學稼，先後都用同樣的詞句批評說：「魯迅的眞正價值，就是他以文學家身分，指摘中國舊社會的殘渣。他是這工作的優秀者，他又是這工作在文藝上的唯一完成者。我有這一感覺：如果沒有中國的社會發展的混亂情況誤了他，他會在寫實文學中，佔一個重要地位。也許他會成爲我們的福樓拜。」（註三三）

對於魯迅的「雜文」，夏濟安有警闢的批評。他說：「魯迅是那種反抗雜文的主要創造者，這類雜文無論是贊譽還是譴責都太露，太絕對，以致內容不夠眞實，態度不夠公平。在中國，對後一輩的反抗者來說，這種混合詭辯，過分簡單化以及感情偏見的修辭手段，就成了評論界所依靠的方法。……由於魯迅作爲一個文學家的巨大成功，他的憤怒的文體就被牢固的保存在白話之中，以至後來的作者在運用白話這一工具時，很難避免它。在白話雜文的發展中，要靠機智，要靠仇恨和輕蔑的詞匯，以致中國語言的表現力日益狹窄，這一切魯迅都負有很大責任。但魯迅究竟很偉大，他可以在自己的修辭方式中享有自由，只是對他的模倣者這才成爲一種束縛。」（註三四）

誠如夏氏所言，「左聯」成立前後中共作家攻擊魯迅的文字，也倣效「魯迅筆法」。且亦如夏氏所指出，魯迅固然是這種文體的「創造者」，而倣效者應當自負責任。至於日後的讀者——尤其研究人士，也宜進一步剖析這類文字的形式與內容，否則可以引述魯迅在參加「左聯」前及其解散後的言論——如懷疑「革命文學」、批評「革命文學家」等，證明他先後是「反共」的，只爲某種原因而傾向「左翼」。

總結而言，魯迅有他自己的「革命」，也有他的革命方式—從事文學；在文學方面，他更有自己的「革命文學」。儘管他在概念上從早年的人道主義，進化論學說，轉變到蘇俄托洛茨基等的觀點，在他而言，無論動機與行動無一背離有益於中國的革命。一九三四（民國廿三）年五月廿二日，他在回答霽雲的信中謙虛地表示：「我的雜感集中，《華蓋集》及續編中文，雖大抵爲個人鬥爭，實爲公仇，決非私怨，而銷路獨少，足見讀者的判斷，亦幼稚者居多也。平生所作事，決不能如來示之譽，但自問數十年來，於自己保存之外，也時時想到中國，想到將來，願爲大家多出一點微力，卻是可以自白的。」（註三五）

這些話，可說是他檢討一生的結論。

當他舉目當世，自感罕見他所認爲的「革命人」和「革命作家」，只好退而求其次。國民黨既已當政，當政者要「維持現狀」，自然與「革命」的文學不相容。而不反對或能容忍國民黨政府的文學家，至少也是不革命的。結果他與「不安於現狀」的中共合作，雖然他對那革命並無幻想，雖然他對那一群「革命文學家」也不抱期望。

第四節　魯迅的「虛無」與「做作」

魯迅的朋友曹聚仁，在他撰寫的《魯迅評傳》中指出，魯迅的「意見根本是虛無的」，周作人不

僅認爲「正是十分正確」，並且補充說：「魯迅平常言動亦有做作」。（註三六）

這思想上的虛無和言行上的做作，自然有心理上的基礎。魯迅自幼年的家遭變故，直到民國元年進入教育部任職，甚間挫折甚多。這些事情，各種傳記多有敘述。（註三七）從他進入北京教育部，到南京教育部裁員，其間除在廈門大學任教半年外，其餘每月都有平均三百元（相當十五位小學教師的收入）的政府薪給，物質生活至少是頗堪溫飽。但在精神上卻自認常遭打擊，因而多疑、易怒，心態常處於「黑暗面」。就中共以外的研究人士而言，這一說幾成公論。

可是，這種做作也許來自他的有意爲之。當年還是他的學生的許廣平，回憶他初次來校上課的情狀說：「人們震於他的威名，每個學生都懷着研究這位新先生的好奇心」，但他一進教室，「首先惹人注意的便是他大約有兩寸長的頭髮。……褪色的暗綠夾袍，褪色的黑馬褂，差不多打成一片。手彎上，衣服上的補釘，則炫着異樣的新鮮色彩，好似特製的花紋。皮鞋也四處滿是補釘。人又鶻落，常從講壇跳上跳下，因此兩膝蓋的大補釘，也掩蓋不住了。……有似出喪時那乞丐的頭兒。」（註三八）

這事發生於民國十二年（一九二三）十月，當時他四十二歲，地點是北京女子高等師範學校。隨着年齡的增長，他在民國廿三年（一九三四）六月三日致楊霽雲信中，慨嘆當時的青年人道：「中國的文壇上，人渣本來多。近十年中，有些青年人，不樂科學，便學文學；不會作文，便學美術，而又不肯練畫，則留長頭髮，放大領結完事，眞是烏煙瘴氣。假使中國全是這類人，實在怕不免於糟。」（註三九）

魯迅對老朋友也不免有突然的情緒發洩。林語堂說：「有一回我幾乎跟他鬧翻了。事情小之又小，是魯迅神經過敏所致。那時有一位青年作家，名張友松。張請吃飯，在北四川路那一家小店樓上。在座者記得有郁達夫、王映霞、許女士及內人。張友松要出來自己辦書店或雜誌，所以拉我們一些人。他是不大滿意北新書店的老闆李小峰，說他對作者欠賬不還等等，他自己要好好的做。我也說兩句附和的話。不想魯迅在疑心我說他。……忽然咆哮起來，……兩人對視像一對雄雞，對了足足一兩分鐘。幸虧郁達夫作和事佬，幾位在座女人都覺得『無趣』。這樣一場小風波，也就安然渡過了。」（註四〇）

林氏對於地點人物或有誤記，但事誠有之。魯迅《日記》載有一九二九年八月廿八日與「楊騷、語堂及其夫人、衣萍、曙天」等赴南雲樓晚餐一事；「席將終，林語堂語含譏刺，直斥之，彼亦爭持，鄙相悉現。」（註四一）句末這四個字的評語，在平常人而言，似失敦厚。

對初見面的青年作家的態度，據中共人士回憶，每每風趣和藹；例如譏刺他「醉眼矇朧」的馮乃超去見他時，他「笑容滿面……對於青年人的作法是諒解的」。（註四二）與素不相識的馬子華在「內山書店」相遇，不僅請他坐下，還暢了一個多鐘頭。（註四三）過去與魯迅關係不大好的魏猛克，經周揚帶往「內山書店」見面，並無芥蒂，然後同到「公啡」共飲咖啡。（註四四）此外如指導寫作，校稿作序，捐款保釋被捕盟員，介紹醫生治病等，不勝枚舉。都使當事者畢生難忘。

另方面，也有一見而對他永懷惡感者。魯迅在一九二八（民國十七）年七月七日的日記中記載：

「午得小峰柬招飲於悅賓樓，同席矛塵、欽文、蘇梅、達夫、映霞、玉堂（語堂）及其夫人……。」（註四五）

蘇梅，即對魯迅的小說、散文讚揚備至的蘇雪林。蘇氏在法國讀到《吶喊》中的「阿Q正傳」時，歡喜若狂；以後再讀到周作人所寫的評介，「更覺得這篇小說價值之高」；當她任教國立武漢大學時，更將它編入新文學課程的講義。（註四六）

但當她親見這位「文學大師」時，卻印象一變。她說：「魯迅那張臉稜角顯露，透着一股凶悍之氣，……神情傲慢，我們同他招呼，他要理不理的。說話總是在罵人」；席間談到蔡孑民（元培）推薦林風眠爲杭州藝專校長，而孫伏熙撰文表示歡迎一事，魯迅即罵「卑鄙」。孫伏熙和他哥哥伏園，一向擁護魯迅，可以稱爲門下子弟兵。如今爲了細故而加責罵，頗違情理。加以蘇氏「在女師大風潮裏，看出了魯迅的醜惡面目，從此瞧他不起」。（註四七）然而她對魯迅的文學評價亦復終身未改。（註四八）

本文引述以上資料。並非用以暗示魯迅偏愛或偏惡某一類型的青年作家。從前面各章可知，他對青年懷有一種矛盾的心態，既說他們品德不佳，知識膚淺，而又不斷地有意接近。對能寫作或有志寫作的，更是加以培植。一讀有關他的傳記，不僅可以看到屢次失敗的合作，更有一些令人訝異的笑柄。於是他在這幻滅與追求的循環中，發展出一個接納青年的模式。

「一個窮小子，對文藝有興趣，由通信或朋友介紹認識了魯迅，於是登門求教，魯迅起初不大啓口，似有拒人千里之意，青年於拜訪了魯迅數次之後，有一天魯迅竟然留他吃飯，他不禁受寵若驚。一頓飯後，話匣子打開了，魯迅的話也多了起來，於是師生間的關係逐漸親密，……魯迅除了口頭上指導之外，而且往往不惜寄贈書藉或金錢，……辛辛苦苦地培植這位作家，使他在文壇上奠定地位。」（註四九）

在魯迅，這是他考驗來訪青年的一種方式。對於知道這方式的人，每每以此爲進身之階。於是他又不免失望，循環不已。似可如此說，他雖鼓勵青年作家去寫他那種「革命文學」，但非中共「革命文學家」的那一套「革命文學」。可是他所培植的青年作家，一則才華所限，在藝術上無法達到他期望的水平；二受當時風氣的影響，內容也難脫俗套，如果再自以爲手持令箭而喊喊嚓嚓，結果只有不歡而散。

回顧前一節開頭和末尾所引的片段。前者是他仰慕拜侖、雪萊、普式庚等的好敵崇力，狷介不群；後者他檢討生平的不忘公仇，心在中國。看來這也是使他與人落落難合，鮮克有終的心理因素。

第五節　魯迅的自我寫照——代結論

「我夢見自己死在道路上。……嗡的一聲，就有一個青蠅停在我的顴骨上，走了幾步，又一飛，開口舐我的鼻尖。我懊惱地想：足下，我不是什麼偉人，你無須到我身上來尋做論的材料……。」（

註五〇）

魯迅發表這篇作品時，是在民國十四年（一九二五）七月十二日。這一年可謂多事之秋，例如他因女師大風潮而已與陳源等「正人君子」筆戰，並將因此而被教育部長章士釗免除僉事之職（翌年勝訴復職）。總之，他此時已是「名人」，對日後之被捧爲「偉人」，或非其意料所及。但當他既成偉人之後，以他爲「做論的材料」者繁富琳瑯，各具見地。本文不敢亦步亦趨，僅擬引用他的二三作品，濃縮爲一幅或許失眞的素描，以代結論。

一、「這樣的戰士」（註五一）

「要有這樣的一種戰士——

已不是蒙昧如非洲土人而背着雪亮的毛瑟槍的；也並不疲憊如中國綠營兵而卻佩着盒子炮。他毫無乞靈於牛皮和廢鐵的甲冑；他只有自己，但拿着蠻人所用的，脫手一擲的投槍。

他走進無物之陣，所遇見的都對他一式點頭。他知道這點頭就是敵人的武器，是殺人不見血的武器，許多戰士都在此滅亡，正如炮彈一般，使猛士無所用其力。

那些頭上有各種旗幟，繡出各樣好名稱：慈善家，學者，文士，長者，青年，雅人，君子……。頭下有各樣外套，繡出各式好花樣：學問，道德，國粹，民意，邏輯，公義，東方文明……。

但他舉起了投槍。

………

一切都頽然倒地；——然而卻有一件外套，其中無物。無物之物已經脫走，得了勝利，因爲他這時成了戕害慈善家等的罪人。

………

他在無物之陣中大踏步走，再見一式的點頭，各種的旗幟，各樣的外套……。

他終於在無物之陣中老衰，壽終。他終於不是戰士，但無物之物則是勝者。

在這樣的境地裏，誰也不聞戰叫：太平。

太平……。

但他舉起了投槍！」

（案：「戰叫」或爲battle cry的譯詞）

題於《吶喊》書頁以贈日本友人（註五二）

弄文罹文網，抗世違世情

積毀可銷骨，空留紙上聲

題於《彷徨》書頁以贈日本友人（註五三）

寂寞新文苑，淒涼舊戰場
兩間餘一卒，荷戟獨彷徨

「自嘲」寄楊霽雲（註五四）
運交華蓋復何求，未敢翻身已碰頭
破帽遮顏過鬧市，漏船載酒泛中流
橫眉冷對千夫指，俯首甘爲孺子牛
躲進小樓成一統，管他冬夏與春秋

案：以上所錄，似乎看來過於偏重他消極的一面。原因之一是，像「怒向刀叢覓小詩」等慷慨激昂之作，在頌揚他爲「革命家」的作品之中，已頗常見，似可節省篇幅。在此再引他辭世前的告白。

「死」（註五五）
「一，不得因爲喪事，收受任何人的一文錢。—但老朋友的，不在此列。
二，趕快收斂，埋掉，拉倒。
三，不要做任何關於紀念的事情。
四，忘記我，管自己的生活。—倘不，那就眞是胡塗蟲。
五，孩子長大，倘無才能，可尋點小事情過活，萬不可去做空頭文學家或美術家。

六，別人應許給你的事物，不可當眞。

七，損着別人的牙眼，卻反對報復，主張寬容的人，萬勿和他接近。

……我的怨敵可謂多矣，倘有新式的人問起我來，怎麼辦呢？我想了一想，決定的是：讓他們怨恨去，我也一個都不寬恕。」

「墓碣文」節錄（註五六）

「……於浩歌狂熱之際中寒，於天上看見深淵。於一切眼中看見無所有；於無所希望中得救。……

……有一游魂，化爲長蛇，口有毒牙。不以噬人，自噬其身，終以殞顚。……

……離開……

……抉心自食，欲知本味。創痛酷烈，本味何能知？

……痛定之後，徐徐食之。然其心已陳舊，本味又何由知？……

……答我。否則，離開！……」

他的問題，別人無法答覆。但他那一種「革命文學」，雖然使得許多年輕的「心」爲之悸動，但他們卻被另一種所利用，連心帶人，一齊拉去。

二、黑色的報仇者

魯迅曾把他所譯的《工人綏惠略夫》中的主人翁—綏惠略夫，當作與「大勢」對抗中的一種典型人物來說明那型人物的結局。他說：

「要徹底地毀壞這種大勢的，就容易變成『個人的無政府主義者』，如《工人綏惠略夫》裡的綏惠略夫就是。這一類人物的運命，在現在—也許雖在將來—是要救群眾，而反被群眾所迫害，終於成了單身，忿激之餘，一轉而仇視一切，無論對誰都開槍，自己也歸於毀滅。」（註五七）

從魯迅自承他自己「反被群眾迫害」來看，他有點像綏惠略夫；至於「無論對誰都開槍」，從他留下的文字來看，並沒有完全如是。那些未被他的投槍當場射倒的人曾對他歌頌。那些歌頌或許不能令他欣慰，但他似乎有這自信，自己在文學上的成就，能使他不像綏惠略夫。在事實上，就連最反對他的爲人行事的人，也認爲他有他的成就。

基於前述，必須從他另外的作品當中，去尋找他的自畫像。

魯迅在民國十六年（一九二七）寫了一個短篇小說「眉間尺」，到了民國二十五年（一九三六）還把它收入《故事新編》重新出版，改名「鑄劍」。（註五八）這故事說：

少年眉間尺的父親是天下第一的鑄劍名師，奉大王之命，用靈異的奇鐵鑄劍。可是他鑄成兩柄，一柄呈獻大王，一柄留下，因爲他預料大王必然殺他。十六年後，遺腹子眉間尺奉母親之命前去報仇。可是他空有利器，不會使用，並且無法接近大王。

在王城附近，眉間尺遇見一個「黑色的人，黑鬚黑眼睛，瘦得如鐵，」他願意爲他報仇。少年驚訝地說：

「你麼？你肯給我報仇麼，義士？」

「啊，你不要用這種稱呼來冤枉我。」

「那麼，你同情於我們孤兒寡婦？……」

「唉，孩子，你再不要提這些受了汙辱的名稱。」他嚴冷地說：「仗義，同情，那些東西，先前曾經乾淨過，現在卻都成了放鬼債的資本。我的心裏全沒有你所謂的那些。我只不過要給你報仇！」

黑色的人不要別的，只要少年的人頭和寶劍。爲了解除他的狐疑。那人說：

「你不要疑心我將騙取你性命和寶貝。……這事全由你。你信我，我便去；你不信，我便住。」

「但你爲什麼給我去報仇的呢？你認識我的父親麼？」

「我一向認識你的父親，也如一向認識你一樣。但我要報仇，並不爲此。聰明的孩子，告訴你罷。你還不知道麼，我怎樣地善於報仇。你的就是我的；他也就是我。我的魂靈上是有這麼多的，人我所加的傷，我已經憎惡了我自己！」

少年抽出寶劍，自刎頭落。黑色的人取劍提頭，揚長走向王城，「發出尖利的聲音唱着歌」：

「哈哈愛兮愛乎愛乎！
愛青劍兮一個仇人自屠。
夥頤連翩兮多少一夫。

一夫愛青劍兮嗚乎不孤。

頭換頭兮兩個仇人自屠。……」

黑色的人見了大王，投少年之頭於沸鼎之中，變化出許多幻景。當大王伸首到鼎邊探視時，黑色的人手起劍落，把大王的頭削落鼎內，然後自刎。於是三顆人頭皮肉全消，分不出誰是誰的。一切的恩仇、罪惡、傷憎，也同時化爲烏有。黑色的人—他叫晏之敖—一個魯迅曾經用過的筆名，完成了比普羅米修斯更富意義的工作：他報了無辜者的仇，也消除了他的冤孽；他剷除了罪惡化身的大王；還滌淨了別人加於他以及他本身原有的毒。

這故事的結局只有后妃、老臣、武士、太監們的錯愕，幾個「義民」的忠憤，以及百姓們終於不再多看的浮華出殯和虛假的悲哀。

沒有新主登基，也沒有人民在擁立賢君之後，不但爲那善於報仇滌罪的劍客樹碑立傳，而且以爲師法。可想而知，宴之敖的心中沒有那一番遠景。

這晏之敖，似乎可算是他的自我寫照。

像與不像，自然人言人殊。本文就借之作爲結束。

【附註】

註　一：趙聰《大陸文壇風景畫》，轉引自鄭學稼《魯迅正傳》，第二四五——二四六頁。

註　二：《書信》，全集第十一卷，第三五三——三五四頁。
註　三：《兩地書》，全集第十一卷，三一——三三頁。
註　四：同註三，第三九——四〇頁。
註　五：同註三，四六——四七頁。
註　六：同註三，第六八頁。
註　七：同註三，第七二頁。
註　八：同註三，第一〇二頁。
註　九：同註三，第一四九——一五〇頁。
註一〇：同註三，二〇〇頁。
註一一：同註三，第二二一——二二二頁。
註一二：同註三，第二二六頁。
註一三：山上正義「談魯迅」，《回憶魯迅資料輯錄》，第一六三頁。
註一四：宋雲彬「回憶魯迅在廣州」，同前書，第一六五頁。
註一五：徐彬如「回憶一九二七年魯迅在廣州的情況」，同前書，第一六六頁。
註一六：《集外集拾遺》，全集第七卷，第二九三——二九四頁。
註一七：《三閑集》，全集第四卷，第一〇三頁。

註一八：《書信》，全集第十三卷，第六五頁。

註一九：《忘魯迅友印象記》，第七八頁。

註二〇：《書信》，全集第十二卷，第四二頁。

註二一：小泉獄夫著，范泉譯《魯迅傳》，開明書店，民國卅五年再版，第七二——七三頁。

註二二：張國燾《我的回憶》第二冊，香港：明報出版社，一九七一年，四八九——四九〇頁，第五三四——五三五頁。

註二三：同註二二，第六一六——六二〇頁。

註二四：郭華倫《中共史論》；王健民《中國共產黨史稿》。二書均引用原始資料，可供查考。

註二五：《墳》，全集第一卷，第九八——一〇〇頁。

註二六：《集外集》，全集第七卷，第二九四頁。

註二七：《瞿秋白文集》第三卷，北京人民出版社，一九五三年，第九七九頁。

註二八：「小品文的危機」，《南腔北調集》，全集第四卷，第五七六——五七七頁。

註二九：鄭學稼《由革命文學到革文學的命》，第二二五——二二七頁；二三四——二三八頁。「魯迅著譯書目」，《三閑集》，全集第四卷，一七七——一八五頁。

註三〇：《三閑集》，第一八四——一八五頁。

註三一：《文壇五十年》，香港：新文化出版社，一九六九年，第二六四——二六六頁。

註三二：蘇雪林《二三十年代作家與作品》，台北：廣東出版社，民國六十八年初版，第二〇二頁。

註三三：鄭學稼《魯迅正傳》，香港：亞洲出版社，一九五三年重排第一版，第一一二頁；《魯迅正傳》修訂版，台北：時報出版公司，民國六十七年初版，第五四四頁。

註三四：夏濟安「魯迅作品的黑暗面」，《國外魯迅研究論集（一九六〇——一九八一）》，北京大學出版社，第三八一頁。此文原見於夏氏所著 The Gate of Darkness，譯文僅爲其中之一部分。

註三五：《書信》，全集第十二卷，第四二三頁。

註三六：周作人，《知堂回想錄》上卷，香港：三育圖書文具公司，一九七〇年初版，卷首影印周氏致曹聚仁書信手跡。臺灣龍文出版公司（民國七十八年版）所編印者，無此資料。

註三七：除本書已引之魯迅傳記外，簡明之述作可見於李歐梵「『魯迅內傳』的商榷與探討」，《明報》六〇——六四期連載（一九七〇年十二月——一九七一年一月，一九七一年三月——四月）。

註三八：「欣慰的回憶」節錄，《回憶魯迅資料輯錄》，上海教育出版社，一九八〇年初版，第八五—八六頁。

註三九：《書信》，全集十二卷，第四四五頁。

註四〇：林語堂「憶魯迅」，胡晶濤編《作家寫作家》，台北：長歌出版社，民國六十五年初版，第九頁。

註四一：《日記》，全集第十四卷，第七七九頁。

註四二：《左聯回憶餘》（上），第六四頁。

註四三：同註四二，第三二二頁。

註四四：同註四二，第三九〇頁。

註四五：《日記》，全集第十四卷，第七一八頁。
註四六：蘇雪林「我對魯迅由欽敬到反對的原因」，《文壇話舊》，台北：文星書店，民國五十六年初版，第二一頁。
註四七：同註四六，第二五頁；蘇雪林《浮生九四》，台北：三民書局，第九六頁。按：蘇氏二書皆云同座者爲章衣萍，應是章矛塵之誤。矛塵當時新婚未久，事見此書第八七頁。
註四八：《二三十年代的作家與作品》，有關魯迅作品諸章節。
註四九：李歐梵「魯迅的晚年」，《明報》六十四期，第五五——五六頁。
註五〇：「死後」，《野草》，全集第二卷，第二一〇頁。
註五一：《野草》，全集第二卷，第二一四——二一五頁。
註五二：《日記》，全集第十五卷，第六七——六八頁。
註五三：《集外集》，全集第七卷，第一五〇頁；前註第六八頁亦載此詩，惟「獨」字作「尚」。
註五四：《書信》，第十二卷，第五九〇頁。
註五五：《且介亭雜文末編》，全集第六集，第六一二頁。
註五六：《野草》，全集第二卷，第二〇二頁。
註五七：《兩地書》，第二〇頁。
註五八：《故事新編》，全集第二卷，第四一七——三六頁。

引用書目

魯迅著作部分

魯迅全集（十六卷註釋本）　人民文學出版社　一九八一

墳　第一卷

吶喊

野草　第二卷

而已集　第三卷

三閑集　第四卷

二心集

南腔北調集

花邊文學　第五集

且介亭雜文　第六卷

且介亭雜文二集
且介亭雜文末編
集外集　第七卷
集外集拾遺
集外集拾遺補編　第八卷
兩地書
書信（一九〇四——一九二九）　第十一卷
書信（一九三〇——一九三四）　第十二卷
書信（一九三五——一九三六）　第十三卷
日記（一九一二——一九三一）　第十四卷
日記（一九三二——一九三六）　第十五卷
魯迅譯著年表　第十六卷

書籍部分（書名筆劃爲序）

二三十年代作家與作品　蘇雪林　臺北　廣東出版社　民國六八
三十年代文壇人物史話　龍雪燦　臺北　金蘭出版社　民國六六

亡友魯迅印象記　許壽裳　北京人民文學出版社　一九五三
大陸文藝新探　周玉山　臺北　東大圖書公司　民國七三
大陸文藝論衡　周玉山　臺北　東大圖書公司　民國七九
大陸當代文學掃描　葉穉英　臺北　東大圖書公司　民國七九
少作收殘集　胡秋原　臺北　自由世界出版社　民國四八
分裂國家的文化整合　朱松柏編　政大國際關係研究中心　民國七九
毛澤東選集　北京人民出版社　一九六四
毛澤東思想萬歲　「文革」時期內部資料（無出版單位）　一九六八
文革始末　司馬長風　香港　百葉書舍　民國六五
文學與革命　托托茨基著　惠泉譯　香港　信達出版社　一九七一
文壇五十年　曹聚仁　香港　新文化出版社　一九六九
中共史論　郭華倫　政大國際關係研究中心　民國七二
中共的文藝整風　王章陵　臺北　國際關係研究所　民國六二
中共富田事變眞相　鄭學稼　國際共產問題研究社　民國六五
中國共產黨史稿　王健民　臺北　正中書局　民國五四
中國共產黨之透視　國民黨中央組織部　文星書店　民國五一年重印

中國現代文學史　濟南　山東人民出版社　一九七九
中國現代文學史參考資料　北京師大中文系　新華書店　一九五九
中國現代文學史資料　魏紹昌編　香港　三聯書店　一九八〇
中國新文學大系　趙家璧編　香港　文學研究社　一九七二重印
中國新文學史　司馬長風　香港　昭明出版社　一九七六
中國新文學史初稿　劉松綬　北京　作家出版社　一九五六
中國新文學運動史資料　張若英編　上海　光明書局　民國廿三
中華民國文藝史　尹雪曼編　臺北　正中書局　民國六四
中華民國開國五十年文獻　臺北　開國文獻編委會　民國五二
左聯回憶錄　中國社會科學院　中國社會科學出版社　一九八二
由文學革命到革文學的命　鄭學稼　香港　亞洲出版社　民國五九
共匪文藝問題論集　蔡丹冶　大陸觀察雜誌社　民國六五
共產黨宣言　馬克思　莫斯科外文出版局　一九五〇
在唐三藏與浮士德之間　胡秋原　作者自行出版　民國五一
回憶魯迅資料輯錄　上海教育出版社　一九八〇
作家寫作家　胡晶清編　臺北　長歌出版社　民國六五

我的回憶　張國燾　香港　明報月刊出版社　一九七一
我和共產黨鬥爭的回憶　徐恩增　民國四二年作　複印本
我論魯迅　蘇雪林　臺北　愛眉文藝出版社　民國六一
往事如煙——胡風沉寃錄　梅志　臺北　曉園出版社　一九九〇
近二十年中國文藝思潮論　李何林　上海　生活書店　民國廿八
沫若文集　郭沫若　香港　三聯書店　一九五七
知堂回想錄　周作人　香港　三育圖書公司　一九七〇
浮生九四　蘇雪林　臺北　三民書局　民國七九
胡適文存　胡適　臺北　遠東圖書公司　民國五七
偏見集　梁實秋　臺北　大林出版社　民國六六重印
國共兩黨關係史　王幼安、毛磊主編　武漢出版社　一九八八
國外魯迅研究論集　樂黛雲編　北京大學出版社　一九八一
從文學革命到革命文學　候健　中外文學出版社　民國六三
清季的革命團體　張玉法　臺北　中研院史語所　民國六四
現代中國文學史話　劉心皇　臺北　正中書局　民國六〇
郭沫若批判　史劍　香港　亞洲出版社　一九五四

為中共更加布爾塞維克化而努力　陳紹禹（王明）　延安解放社　一九四〇
當代大陸作家風貌　潘耀明　臺北　遠景出版社　民國七九
與鮑羅廷談話的回憶錄　宋美齡　臺北　源成圖書供應社　民國六五
蔡元培先生年譜傳記　孫常煒　臺北　國史館　民國七五
魯迅正傳　鄭學稼　香港　亞洲出版社　一九五三
魯迅正傳（增訂版）　鄭學稼　臺北　時報文化公司　民國六七
魯迅傳　小泉獄夫著　范泉譯　開明書店　民國卅五
魯迅傳　林非、劉再復著　中國社會科學出版社　一九八一
瞿秋白文集　瞿秋白　人民文學社　一九五三
黨給魯迅以力量　馮雪峰　新華書店河南分店　一九五一

刊物部分

七十年代（一九七八年九月份）　香港
反攻月刊（三六八——三七一期）　臺北
共黨問題研究（十七卷三期）　臺北
明報月刊（一九七〇——一九七一）　香港

明報月刊（一九七〇——一九七一）　香港

新青年（彙刊）　東京　大安株式會社　一九六二年影印本

新月月刊（合訂本）　臺北　雕龍出版社　民國六六年影印本

嚮導周刊（彙刊）　東京　大安株式會社　一九六二年影印本